C000050743

Kerstin Hensel erzählt die Lebensgeschichte der Gabriela von Haßlau aus Leibnitz. Präsentiert das Kind, die Schülerin, den Lehrling, die Obdachlose, die sich Papier zusammensucht, um ihr Leben aufzuschreiben, das wahrhaft verdient, aufgeschrieben zu werden. Auch mit Blick auf den Vater: Obermedizinalrat Ernst von Haßlau, Chef der Chirurgischen Klinik. Auch mit Blick auf die Mutter, die – obwohl eher bieder – eines Tages mit einem Schauspieler durchbrennt. Auch mit Blick auf Katka, Gabrielas Freundin aus verkommenem Milieu; auf die Obdachlosen, die sich winters in der Kneipe wärmen und nachts hinausgekehrt werden. Auch mit Blick auf das Gerechtigkeitsverfahren eines sozialistischen Staates: Gabriela wird vergewaltigt, einer der beiden Wüstlinge schneidet ihr, zur Markierung, auf ihrem Arm ein Kreuz ein. Der Staat aber kann ein derart asoziales Verhalten nicht dulden und zwingt den Chirurgenvater, um das Geschehene ungeschehen zu machen, eine Hauttransplantation vorzunehmen.

Ein Lehrstück für alle. Erzählt mit einer Genauigkeit, die der Brutalität nichts schuldig bleibt und die dort abbricht, wo es ihrer nicht mehr bedarf.

Kerstin Hensel, geboren 1961, lebt in Berlin. Seit 1983 veröffentlicht sie Gedichte, Erzählungen, einen Roman. 1991 erhielt sie den Leonce-und-Lena-Preis des Darmstädter Literarischen März. 1993 erschien im Suhrkamp Verlag die Erzählung *Im Schlauch* (es 1815).

Kerstin Hensel
Tanz am Kanal

Erzählung

Suhrkamp

Umschlagfoto: Renate von Forster/Bilderberg

suhrkamp taschenbuch 2649
Erste Auflage 1997
© Suhrkamp Verlag Frankfurt am Main 1994
Suhrkamp Taschenbuch Verlag
Alle Rechte vorbehalten, insbesondere das
des öffentlichen Vortrags, der Übertragung
durch Rundfunk und Fernsehen
sowie der Übersetzung, auch einzelner Teile.
Druck: Nomos Verlagsgesellschaft, Baden-Baden
Printed in Germany
Umschlag nach Entwürfen von
Willy Fleckhaus und Rolf Staudt

1 2 3 4 5 6 – 02 01 00 99 98 97

Tanz am Kanal

Jetzt, da mir ein großer glatter Bogen Packpapier am linken Brückenpfeiler vor den Füßen liegt, erfahre ich das erste Mal seit Jahren wieder Freude. Es ist kein Zufall, daß mir das Schicksal dieses Papier bringt, denn ich bin auserwählt zu schreiben. Zu nichts sonst auf der Welt, als mein Leben zu erzählen; an diesem Tag werde ich damit beginnen.

Oben auf der Brücke ist es heiß, ein Jahrhundertjulitag. Luft quirlt über dem Asphalt. Kneife ich die Augen zu, sehe ich Silber und Grau, Autoreifen, Frauenbeine, Männerbeine, Kinder, Hunde. Auf der Brücke schwitzt das Leben, kocht die Stadt. Hier, wo ich sitze, ist es kühl. Der Kanal zieht dahin in aller Stille. Es ist so heiß, daß er mitunter steht oder die Richtung ändert oder dick wird wie Brei. Unter meiner Brücke aber ist es kühl. Ich hocke, an die feuchte Felssteinwand gelehnt, das Haar klebt im Nacken, ich fühle unter dem Hemd herabrinnen: Brückenwasser. Über mir, im dunklen Bogen, Tropfsteine und Moos. Tropfen zittern an den Stalaktitenspitzen und fallen lange lange nicht und dann platzen sie auf der steinigen Uferbefestigung oder auf meinem Knie. Es dauert mitunter Tage, bis ein Tropfen von der Brückendecke herabfällt. Immer ist die Brücke feucht, aus den alten Steinen sickert Wasser, unablässig. Gut, daß ich nicht ins Schwitzen komme wie die Leute in der Stadt. Daß ich nicht glühe wie ein Autoreifen oder mich durstig abhetzen muß. Auf Arbeit oder nach Hause.

Ich habe einen großen blauen Bogen Packpapier gefunden und ein Dutzend Holzbleistifte, bei mir geklaut. Hier ist es angenehm schattig, an einem Jahrhundertjulitag im Jahre 1994 in der Stadt Leibnitz, wo ich beginne mein Leben aufzuschreiben. Was mir einst Zwang und Haß war, ist nun Bedürfnis geworden.

Da es *meine* Brücke ist, unter der ich sitze, die letzte freie Brücke in Leibnitz, die ich mir erobert habe, ist mir Lust gekommen. Lust, die aus Besitzverhältnissen stammt. Ich mache es mir bequem. Die alten Jeans werden von drei Bogen Wabenpappe geschützt, darauf ich sitze. Mehr habe ich nicht, und dies ist der Punkt, mit dem ich beginnen könnte.

Ich schreibe unter meinem wirklichen Namen Gabriela von Haßlau. Sie haben mich Binka und Ehlchen genannt. Gabriela nur, wenn sie mich haßten. Das erste, woran ich mich erinnere, war ein Geigenkasten. Ich bekam ihn zu meinem vierten Geburtstag. Außen braunes Leder, innen grüner Samt. Ich öffnete ihn und sah das Instrument. Ich hielt es für ein Tier, einen verzauberten Dackel. Als ich aufheulte, riß mich Vater an den Zopfschnecken.
– Das ist eine Violine.
Onkel Schorsch aus Sachsen war bei uns zu Besuch, er lachte.
– Das ist aber 'ne Binka, eure Dochter!
Mutter schämte sich, Vater skandierte mir ins Gesicht:

– Vi-o-li-ne! Vi-o-li-ne! Sprich nach!

Ich weinte über dem verzauberten Dackel. Mutter nahm ihn aus dem Kasten und legte ihn mir in die Hände.

– Paß auf! sagte Vater, und der Geigenbogen strich über die Dackelhaare, die Vater Saiten nannte.

– Sai-ten! sprich nach! sagte er.

Der Dackel fiepte, ich weinte wie noch nie. Onkel Schorsch lachte und goß Cognac über sein Hemd, Mutter mahnte ihren Bruder zur Ruhe.

– Laß dem Ernst seinen Ernst.

Onkel Schorsch prustete unter vorgehaltenem Taschentuch.

Am Abend meines vierten Geburtstages hielt ich die Violine, in der rechten Hand den Bogen. Ich strich einige Katzenlaute.

– FIS! sagte Vater. Und DIS!

Ich machte einen Knicks, wie ich es gelernt hatte. Es gab Gänsepastete und aus dem Plattenspieler Musik von Mozart. Die Villa klang von der Musik und roch nach Geburtstag. Onkel Schorsch lachte noch immer und kippte sich übers Hemd, was auf dem großen gedeckten Tisch stand: Cognac und russischen Sekt, Pasteten und Salate. Ich lernte einen Dackel von einer Violine zu unterscheiden. Mein Vater war Venenchirurg.

Er sprach auch an diesem Geburtstag von Varizen. Das war sein Lieblingswort, und ich lauschte ihm jedesmal lange nach, wenn er es ausgesprochen hatte. Ich liebte dieses Wort, weil ich es niemals nachsprechen mußte. Va-ri-zen! das gab es nicht.

Es war das Wort meines Vaters. *Mir* gehörten Wörter wie Violine, Pastete, Mozart. Auch Onkel Schorschs Worte gehörten mir: Heiamachen, Ringelgehen, Muckschsein. Vater verbot Onkel Schorschs Worte – sie seien schlechtes Deutsch und überhaupt: Wenn Onkel Schorsch es nicht bald zu mehr brächte als zum stellvertretenden Direktor der Grimmaschen Konsumgenossenschaft, dann . . . Mutter lenkte ein: Seine Familie könne man sich nicht aussuchen.

– Doch! sagte Vater, und: Es kommt auf den Stil an, auf den Stil, Christiane, sprich nach!

Onkel Schorsch ging jedes mal von selbst, wenn sein Lachvorrat erschöpft war. Das war meistens nach der Sandmännchenzeit. Wir besaßen einen Fernseher, und mir gehörte das Sandmännchen. Zehn Minuten lang, dann hatte ich Schlafsand in den Augen, und Onkel Schorsch stellte fest:

– Deine Guckeln sinn schon ganz klein, und dein Dackel ist auch schon müde.

– Violine! sagte der Vater.

Onkel Schorsch verabschiedete sich. In der Zeit, die mir zum Schlafen gehörte, stritten sich Vater und Mutter im Kaminzimmer. Ich zog die Bettdecke über beide Ohren und flüsterte Violine Violine Violine. Am nächsten Morgen war ich vier Jahre alt und Vater schon zum Dienst in die Klinik. Durch die großen alten Villenfenster schien Sonne. Mutter stob umher und versuchte, Sonnenstäubchen zu moppen. Von der Geburtstagsfeier waren schmutzige Tischtücher übriggeblieben und ein Rest Pastete. Der Geigenkasten lag braun und drohend auf der Konsole in der Wohnstube.

– Du sollst Unterricht nehmen, Ehlchen, sagte Mutter.

Ich durfte keinen Kindergarten besuchen, weil Vater Erster Venenchirurg und Mutter als *Frau* zu Hause war. Auch durfte ich nicht auf der Straße spielen, weil es auf unserer Straße wirklich nichts zu spielen gab und die Villa einen Garten hatte, darin ich mit einem Stöckchen Hüpfkästchen in den Kies zeichnen durfte. *HimmelundHölle* nannte es Vater, *Huppekästel* sagte Onkel Schorsch. Schlechtes Deutsch. Ich hüpfte alleine von der Hölle in den Himmel, das linke Bein angezogen, das Sprungbein zu wacklig, um ungestraft in den Himmel zu kommen: Es sprang auf die gefährlichen Linien, neben das Kästchen oder knickte um. Ich blieb auf der Strecke. Niemand maß sich mit mir. Vater achtete darauf, daß ich nicht in falsche Gesellschaft gerate, allein es gab überhaupt keine Gesellschaft für mich, keine richtige und keine falsche. Unter der Treppe, die an der Rückseite der Villa in den Waschkeller führte, hatten Spinnen ihre Netze gewoben. Schwarz lauerten sie im hinteren Teil der Behausung. Für sie sammelte ich Ameisen, Franzosenkäfer und als besonderen Leckerbissen Regenwürmer; legte die Tierchen auf das vordere Netzteil – die Spinne schoß aus ihrem Versteck heraus, tötete das Opfer mit einem Biß und saugte es aus. Ich fütterte die Spinnen täglich, bis mich Mutter erwischte und der Mop alle Netze zerriß, alle Tiere zerquetschte.

11

Ich trug Lackschuhe, Strumpfhosen, Petticoat, Rippenhemdchen und ein grünrot gehäkeltes Kleid. Oder ein blauweiß gehäkeltes. Die schwarzen Haare flocht Mutter zu Zöpfen. Goldfarbene Gummis hielten sie zusammen. Abends riß sie mit einer Bürste Fitz aus dem Haar, kämmte es aus, bis ich vor Schmerzen wimmerte.

– Denk an die Leute, die Varizen haben, sagte Vater, die weinen auch nicht.

Eines Tages weinte Mutter. Auf dem roten Plüschsofa saß sie, vor sich eine Flasche Cognac, Vaters Leibgetränk. Mutter trank zweidrei Cognac und drehte eine Sirene in ihrem Inneren auf. Mutter war eine Fremde. Ich bekam Angst und wollte in der Klinik nach Vater telefonieren, da brach die Sirene ab und Mutter sagte ganz ruhig:

– Deinen Onkel Schorsch haben sie erschossen.

Das Wort *erschossen* gehörte weder mir, noch Mutter, noch Vater. Auch Onkel Schorsch gehörte es nicht. Es war einfach da, hergesagt aus dem Nichts. Es klang nach schlechtem Deutsch. Ich schüttelte den Kopf und flüsterte Mutter ins Ohr:

– Du darfst es nicht weitererzählen, es ist unser Geheimnis, nicht wahr?

Mutter nickte und zog mich zu sich auf den Schoß.

– Du dumme kleine Binka, sagte sie, jetzt mußt du Onkel Schorsch aber ganz schnell vergessen.

Ich versprach es. Am Abend drehte Vater den Fernseher sehr laut, da hörte ich es wieder, dieses Wort *erschossen,* und noch andere Wörter hörte ich: Kräftemessen, Frieden. Mutters Sirene heulte. Mit Onkel

Schorsch war das schlechte Deutsch in unserer Familie gestorben. Vater beschloß, eine Geigenlehrerin kommen zu lassen. Frau Popiol trug eine rotlockige Perücke und einen Nadelstreifenanzug wie ein Mann. Sie kam mit ihrem Sohn Kurt, der war blöd. Mongo, sagte der Vater. Kurt hockte sich in die hinterste Ekke des Musikzimmers. Sein Kopf wackelte die Zeit über, und er bog pausenlos seine blassen wurstigen Finger gegen die Gelenke. Ich beobachtete den Jungen aufmerksam. Er war vielleicht vierzehn Jahre alt, und er faszinierte mich.

– Mußt keine Angst haben vor Kurt, er ist lieb, sagte Frau Popiol.

Ich hatte keine Angst. Nur vor seinen Fingern, die Kurt wie Gummi nach außen bog, graulte ich mich. Frau Popiol stellte mich vor das Klavier, nahm die Geige aus dem braunen Kasten:

– Was ist das?

Ich schwieg, weil ich wußte, Frau Popiol wußte, daß ich es wußte. Aber Frau Popiol blieb eisern.

– Was ist das?

– Ein Dackel, sagte ich.

Kurt patschte in die Hände.

– Du lernst auf einer Violine, sagte Frau Popiol und griff nervös in die rote Perücke.

– Vi-o-li-ne.

– Ja.

Ich nahm gehorsam das Instrument, strich FIS CIS DIS –

– HALT! rief die Lehrerin. Ich ließ den Bogen fallen.

– Du bist ein unaufmerksames Kind.

– Ja.
– *Du* willst Geige lernen?
– Ja.
– Diese Möglichkeit hat bei uns nicht jeder.
– Ja.
– Wie alt bist du?
– Fünf.
– Das richtige Alter.
– Ja.
– Weißt du, was eine Note ist?
– Ja.
– Ja.
– Ja.

Sie zeigte mir, wie ich den Bogen zu halten habe. Ellenbogen nach außen. Nicht verkrampfen, Finger locker. Rücken gerade. Ellenbogen nach außen. Kopf linksbiegen. Nicht verkrampfen. Finger locker. Ellenbogen nach außen. So nicht. Ja, so. Noch höher. Noch.

Der Bogen zitterte. Ich hatte nur Kurt im Auge, der blöd und glücklich in der Ecke hockte, ein Affe, sabbernd, der Kopf wackelte. Ich hatte Lust zu wissen, ob er gern Geige spielen würde. Der Bogen fiel zum zweiten Mal zu Boden. Frau Popiols Hand klopfte auf den Klavierdeckel.

– Woran denkst du, Mädchen?
– Vi-o-li-ne.
– Na, machen wir erstmal einen Rhythmustest. Klatsch mir nach!

Frau Popiol klatschte in die Hände, ich tat es ihr nach, verklatschte mich schon nach dem zweiten Takt.

– Hoffnungslos, aber dein Vater möchte es so.
– Ich möchte mit Kurt spielen.
– Morgen komme ich wieder. Dann weißt du, wie man einen Bogen hält.
Zum Abschied nahm mich Frau Popiol in den Arm, küßte mich auf die Zöpfe, ihre roten Locken vermischten sich mit meinen schwarzen Flechten. Sie küßte lange, bis sie den Halsansatz erreichte und ich mich vor Kitzel schütteln mußte. Kurt bog die Finger, und Frau Popiol zog ihn aus der Hocke nach oben.
– Bis morgen, Ehlchen, sagte sie.
Das Wort *Ehlchen* gehörte meiner Mutter.

Es schreibt sich gut. Der Kanal dampft. Heute hat die Leibnitzer Wollfärberei Rot hineingelassen, gestern Blau, Blau wie Packpapier. Nach drei Stunden Schreiben mache ich Pause, erhebe mich vom Wellpappsessel, strecke mich. Ich muß mich immer in der Nähe meiner Brücke aufhalten, sonst ist sie womöglich plötzlich besetzt. Zweimal bin ich selbst Besetzerin gewesen: Bin unter die Sonntagsbrücke gegangen und unter die Grüne Brücke, weil ich Unterkunft suchte, einen windstillen Platz zum Schlafen. Und jedesmal – die Pappe war schon ausgebreitet und ich mit der grauen Caritasdecke zugedeckt – kamen die Herrschaften. Ratte! das ist unser Platz! Drei Männer, alte Kanaltänzer, räudig, rättig – Das, hatten sie gesagt, sei *ihr* Platz. Ich hatte es nicht gewußt, nahm Decke und Pappe und meinen Plastikbeutel voller

Eigentum. Von der Sonntagsbrücke lief ich zur Grünen Brücke. Eines wußte ich seit dem ersten Tag meiner Obdachlosigkeit: In Hauseingängen, Toreinfahrten und unter Balkonen war *Es* verboten, also zur Grünen Brücke, die nur ein schmales Stück Ufer freiließ und sich nicht im Leibnitzer Zentrum befand. Aber auch die war besetzt – eine Horde Drecksstükke, die mich davonjagte: Geh ins Hotel! – Sie nahmen mir die Caritasdecke weg und lachten mit Zahnstummeln. Die is bestimmt von Sozialamt, flötete ein ganz Junger, und die Horde meckerte muhte blökte über den Kanal. Revier war Revier. Ich lernte schnell, fand *meine* Brücke. Zwischen Wollfärberei und dem ehemaligen Industriewerk. Sie heißt einfach Kanalbrücke und hält nachts Wind und Regen ab. Oder im Jahrhundertsommer die Hitze.

Ich strecke die durchs Sitzen steifgewordenen Glieder und trete aus dem Brückenschatten hervor. Wunderbar, so viel geschrieben zu haben, und die Welt meiner Kindheit deckt sich mit dem warmen Rostrot, das der Kanal heute bietet. Über Leibnitz flirrt der Sommer. Ich bin frei. Heute, nachdem der unaufhaltsame Abstieg meiner Familie vollendet ist, erkenne ich: alles hat mich doch nur in den Zustand der Unabhängigkeit versetzt. Gewiß, ich bin allein und verludert genug, um in nächster Zeit keinen Menschen für mich beanspruchen zu können – was aber soll diese Abscheu, mit der die Leute mir begegnen, oder das Mitleid, das sie, schwitzend unter ihren Pflichten, aufbringen. Als ob es ihnen besser ginge. Keiner weiß mehr meinen Namen, keiner, was ich getan habe, wer ich war, wer ich bin. Was für ein Glück. Freilich wäre ich nicht berufen, zu schreiben, sähe mein Zustand anders aus. Ich würde herumhängen, trinken und stinken. Aber ich stinke nicht. Bin sauber. Wasche mich täglich im Schillerpark am Springbrunnen, früh morgens, wenn das Tor noch geschlossen ist. Dann Frühstück in der Caritas. Oder waschen in der Caritas und Frühstück im Schillerpark.

– Es geht, sage ich, aber es geht nur, weil ich schreibe.

Bis zum Mittag werde ich die Rückseite des Packpapiers beschrieben haben. Ich spüre den Fluß in mir, eine ziehende treibende Freude.

Ich lernte Violine. Nach zwei Wochen Übung hielt ich den Bogen so, daß Frau Popiol zufrieden war. Für den ersten richtigen Ton benötigte ich abermals zwei Wochen. Nur Kurt war begeistert. Er verbog die Finger und grinste, wenn seine Mutter giftiges Lehrerunglück über mir ausgoß. Ich war unmusikalisch. Vater bezahlte Frau Popiol gut. Im Mai 1963 wurde er zum Obermedizinalrat der Chirurgischen Klinik berufen.

Am Tag seiner Berufung war Vater ein Mensch. Zum Frühstück nahm er mich auf den Schoß. Ich roch Spike-Rasierwasser, das er von seinen Varizen-Patienten aus dem Westen geschenkt bekam.

– Hoppehoppe Reiter, sang Vater, und sein schwarzer Schnurrbart wippte an den Spitzen.

– Heute ist ein großer Tag, Ehlchen, heute werde ich Obermedizinalrat.

Auch Mutter war fröhlich.

– Da mußt du aber ernsthafter werden, Ernst.

– Ich habe eine Überraschung für dich, Ehlchen.

Vater stemmte mich in die Luft und küßte meinen Mund. Sein Atem roch nach Apotheke.

– Du spielst heute vor unserem Ärztekollektiv auf deiner Geige.

Vater nahm einen Cognac und verließ das Haus. Ich wollte nicht. Bockte. Frau Popiol wurde zum Kriseneinsatz gerufen. Frau Popiol prügelte: FIS! CIS! DIS! Bis es saß. Mutter bügelte eine weiße Spitzenbluse.

– Blamier uns nicht, Kind.

– Das Kind *wird* Sie blamieren, Frau von Haßlau.

– Wofür bezahlen wir Sie, Frau Popiol?

FIS! CIS! DIS! Der Dackel heulte quietschte fiepte.

– Du spielst *falsch*, Gabriela!

– Aber wir bezahlen Sie, Frau Popiol.

Die Feierstunde in der Chirurgischen Klinik war herangerückt. Obermedizinalrat Dr. med. Ernst von Haßlau holte Mutter und mich am Kliniktor ab. Groß und weiß stand er vor mir und roch nach fremdem Cognac.

– Haltet euch nur im septischen Bereich auf. Das Wort *septisch* gehörte Vater. Ich hielt den Geigenkasten unter dem Arm und verbiß mir das Wort septisch. Mutter lächelte nervös, hängte sich an den Arm ihres Mannes. Wir liefen durch die hallenden Gänge des Klinikums, enge hohe Flure, an deren Decken flächenweis Farbe bröckelte, das alte Wandgelb roch

18

nach aufgeschlagenen, sepsogewaschenen Knien; der Türen Lackweiß, darauf geheimnisvolle Namen wie Labor, Ultraschall, Op I und Op II standen, war stockfleckig und abgegriffen. Von irgendwoher vernahm ich Wimmern, von woanders her metallisches Klappern.

– Komm weiter, Ehlchen, man wartet schon auf uns.
Ich tippelte zwischen den Eltern, an der Hand schlenkernd der Geigenkasten. Ich hatte Angst wie vor einer Riesenspritze.
Von der Feierstunde behielt ich nur noch das Blaue Loch. Ich stand, die Geige in der Hand, auf einem Podest. Vor mir der Saal mit weißen Leuten. Ich hob den Bogen – und fiel ins Blaue Loch. Fand mich auf einer Pritsche wieder, öffnete die Augen – über mir Vaters Schnauzbart, der an den Spitzen zitterte.
– Gabriela!
Eine Schwester erschien, flößte mir Tropfen ein.
– Habe ich jetzt auch Varizen? fragte ich.
Es gab Gelächter in der Klinik, nur Vater lachte nicht.
– Wir werden eine andere Lehrerin für dich suchen, du hast mich in Grund und Boden blamiert.
Ich lag auf der Pritsche im Op II, über mir jetzt die riesige runde Lampe. Ich hoffte, daß sie herabstürzt und mich begräbt. In Grund und Boden.
Cognacflaschen kreisten. Die Ärzte redeten viele Wörter, die mir alle nicht gehörten.
Weil sich keine andere fand, blieb Frau Popiol meine Geigenlehrerin. Vater hospitierte mehrere Stunden lang und kam zu dem Schluß, daß Frau Popiol streng

genug, korrekt genug, strebsam genug sei, mir das Geigenspiel beizubringen. Nur Kurt, den Vater als Ablenkung empfand, mußte ab nun in der Küche sitzen. Mutter fütterte ihn mit Kuchen.

Ich war so unmusikalisch, daß mich Frau Popiol nach einem Jahr vergeblicher Anstrengung aufgab. In dieser letzten Unterrichtsstunde spielte ich das Lied »Hänschen klein« nahezu fehlerfrei, dann fiel mir der Bogen aus der Hand. Aus. Frau Popiol riß sich die Flammen vom Kopf. Unter der Perücke: Weiße spiegelblanke Haut. Die Flammen lagen neben dem Geigenbogen. Aus. Ich schloß die Augen und erwartete Strafe.

– Komm, sagte Frau Popiol.

– Vi-o-li-ne, sagte ich.

Über die geschlossenen Augen legten sich Frau Popiols Hände: Collophonium roch ich, Notenpapier. Die Hände strichen über Nase und Mund, zart und hölzern und langsam und unendlich. Frau Popiols Finger öffneten meine Lippen, klebrig vor Angst leisteten sie Widerstand. Die Finger stemmten Ober- und Unterkiefer auseinander. Durch die Zahnlücken einer Sechsjährigen drangen Geigenlehrerinnenfinger.

– Komm!

– Wohin?

– Wohin du willst.

Ich schluckte, biß zu. Unbegabt. Aus. Frau Popiol lachte. Jetzt hatte ich die Augen offen. Starrte fasziniert den Glatzkopf an.

– Komm!

Eine fremde Zunge an meiner, starke bewegliche

fremde Zunge, die zwischen die Zähne stieß und rührte, in meinen Mädchenmund, wohin du willst, Frau Popiols Zunge ging weiter, Frau Popiols Finger gingen weiter, das blauweiß gehäkelte Kleid, ich wollte etwas sagen, etwas singen, unmusikalisch, aber Sie werden doch gut bezahlt, komm! Frau Popiol hob mich hoch. Sie war eine starke wunderschöne Frau, ich schwebte in ihren Armen, flog vor Angst, vor Glück. Am Abend erzählte ich das Glück meinen Eltern.

Die Geige wurde in den Kasten geschlossen. Der Kasten wurde auf dem Dachboden verwahrt.

– Frau Popiol ist krank, hörte ich Vater sagen.

Varizen, dachte ich. Vater macht sie gesund.

– Nein, ein für allemal, nein.

Nie wieder mußte ich zum Geigenunterricht. Im September wurde ich eingeschult.

Vorder- und Hinterseite des Packpapiers sind beschrieben. Seltsam, wie leicht mir die Worte fallen. Muß mir den Fluß bewahren. Nur nicht ins letzte Loch fallen, wo es keine Freiheit mehr gibt. Wo ich bin, ist noch lange nicht das Ende. Hab mir eine Mahlzeit verdient. Was tu ich bloß, um meine Brücke besetzt zu halten. Kommen die Penner, ists aus. Aber warum sollten sie ausgerechnet heute kommen. Wo sie doch die Sonntagsbrücke und die Grüne Brücke haben. Das Bündel Papier und meine Tüte voller Eigentum geschnürt, gehe ich essen. In der Caritas, einst Turnhalle »Fliegerkosmonaut Siegmund Jähn«, gibt es Fisch in Senfsoße. Ausgezeichnet. Dazu eine neue Schlafdecke. Vermerk der Kleiderkammerverwalterin:

– Vielleicht wirds mal mit 'ner Arbeit, mit 'ner Wohnung, Fräulein Haßlau?

– *Von* Haßlau, ergänze ich.

Mitleidiges Kopfschütteln. Ich aber weiß, wer ich bin. Satt. Sommer. Jahrhunderthitze. Leibnitz döst. Die meisten Fabriken der Stadt sind stillgelegt, die meisten Menschen zu Hause oder irgendwo. Vielleicht Urlaub auf den Canarischen Inseln ... Die Sonne blendet mich. Ich könnte in den Schillerpark gehen und wie ein Tourist zwischen geschnittenen Büschen wandeln. Oder auf einer der glatten weißen Marmorbänke schlafen. Oder Hände waschen.

Schillerpark. Am Springbrunnen. Goldfische schnappen nach meinen Fingern. Das Spiegelbild zeigt strähniges Schwarzhaar. Ich müßte es mal waschen. Morgen abend in der Caritas.

Mich kriegt ihr nicht! Ich ziehe die Finger aus dem Springbrunnen. Es ist mir nichts genommen, natürlich. Am Parkausgang finde ich zwei Papiertüten: die eine am Rand mit hellen Kirschsaftflecken, die andere sauber, glatt, wie unbenutzt. Beide Zipfeltüten aufgerissen ergeben zwei halbrunde Bogen Papier. Genug zum Weiterschreiben.

Satt und sauber finde ich zur Stelle unter meiner Brücke zurück. Leer ist sie, mein Eigentum. Noch immer fließt der Kanal rostrot. Die letzte Brauerei hat ihr Wasser abgelassen, Hopfensud mischt sich mit Farbe, Cocktail für Ratten. Bevor ich weiterschreibe,

gönne ich mir ein Nickerchen auf der neuen Caritasdecke. Ich erwache, als sich ein Tropfen vom größten
Stalaktiten löst und mir auf die Stirn fällt.

Ich hieß Gabriela *von* Haßlau.
Die dreißig Erstkläßler lachten: Schneider-Dagmar,
Grumert-Thomas, Gallwitz-Jutta und wie sie alle ge-
heißen haben – lachten über das, worüber Vater und
Mutter niemals lachten; worüber man in Vaters Kli-
nik ehrfürchtig staunte und es ganz besonders aus-
sprach: ffon Haßlau.
– Alter anhaltinischer Adel, sagte Obermedizinalrat
Ernst von Haßlau.
– Ein bürgerliches Relikt, sagte Klassenlehrerin Frl.
Brinkmann.
Zu Hause petzte ich:
– Die lachen über *von,* die lachen mich aus, ich will
nicht mehr zur Schule, ich will nicht *von* heißen, kei-
ner heißt *von,* wir sind eine sossalistische Schule, wir
– So-zi-a-lis-tisch, sagte Vater. Sprich nach.
Ich bockte. Wollte nicht *von.* Vater zitierte Frl.
Brinkmann zu sich und sprach mit ihr. Am nächsten
Tag schwieg die Klasse, als Frl. Brinkmann aufrief:
– Gabriela von Haßlau!
Daß sie mich von nun an in Ruhe ließen, hing mit Va-
ter zusammen, das begriff ich. Er war Arzt, Doktor,
Obermedizinalrat. Anderer Kinder Eltern waren
Dreher, Textilarbeiter, Bürokraft. Frl. Brinkmann
erinnerte mich an ein Hühnchen: Mager, federlos, sie
litt unter Kropfhals. Ihre Stimme kam wie aus den

Ohren, der Mund gab kaum einen Laut von sich – sie piepste das kleine Einmaleins, das Alphabet – sie piepste gegen einunddreißig lärmende Kinder an, immer dicker wurde ihr Hals, immer dünner ihr Leib. Eines Tages konnte sie überhaupt nicht mehr sprechen und sackte auf dem Lehrerstuhl zusammen.

Nachts träumte ich von Frau Popiol. Sie sei unsere Klassenlehrerin. Jedem, der eine schwierige Rechenaufgabe gelöst hat, setzte sie ihre rote Perücke auf. Ich war unbegabt und erreichte die Perücke nie. Wollte aber nichts anderes, als diese Flammen besitzen. Da verkaufte ich meine Geige an Kurt, tauschte sie für ein Zauberpulver ein, das mich zur besten Rechnerin der ganzen Schule machte. Ich löste jede Aufgabe, aber Frau Popiol behielt ihre Perücke. Ich weinte und hatte gigantische Lösungen parat – aber Frau Popiol schüttelte den kahlen Kopf.

– Ich bin krank, Gabriela, das weißt du doch.

– Aber die anderen ...

– Ja, den anderen werden bald alle Haare ausfallen, da brauchen sie meine Hilfe.

– Sind sie denn alle krank?

– Ja, Gabriela. – Frau Popiol lachte, gackerte, sah plötzlich Frl. Brinkmann ähnlich.

– *Sie* haben die Kinder krank gemacht! schrie ich.

– Das war dein Vater, sagte Frau Popiol.

Ich erwachte, stand auf, torkelte in die Wohnstube. Dort brannte noch Licht. Vater, im Anzug, saß in seinem großen Ohrensessel und trank Cognac. Eine halbe Flasche hatte er schon geleert, auf dem Parkett lagen dünne Glasscherben und Zigarettenasche. Vater

stand wankend auf und schob mich aus dem Zimmer.
– Geh, weg hier.
– Ich hab schlecht geträumt.
– Geh zu Mutter ins Bett.
Ich lief ins Schlafzimmer und legte mich neben Mutter. Vater saß am Morgen noch immer im Anzug im Ohrensessel. Er hatte verschlafen. Mit dem Krankenwagen holte man ihn zum Dienst. Mutter goß den Cognac *Napoleon* ins Klo. Das ganze Bad duftete danach. Sie kehrte Scherben und Asche auf. Still und sanft war sie. Nur wenn sie kehrte und putzte, entlud sich hektische Kraft. Da stieß sie den Schrubber in die Ecken, schlug den Hader. Sie drückte braune Wülste Bohnerwachs aufs Linoleum, rieb es auf den Knien rutschend mit heftigen Kreisbewegungen ein. Die eisenbeschwerte Bohnerbürste klackte im Gelenk, Mutter schob sie hin und her, zehnmal über eine Stelle, bis der Boden blitzte. Übers Parkett ging sie mit dem Mop, und wenn sie ihn aus dem Fenster schüttelte, der Staub wolkte, dann stöhnte Mutter.
– Dieser Dreck, dieser ewige!
Für die Fenster nahm sie *Klarofix,* blaues Salmiakwasser; für Klo und Waschbecken *Ata*-Scheuersand – den ganzen Tag scheuerte und wienerte sie und hatte das Reißen in Knien und Rücken. Vater wollte eine Putzfrau haben, die aber gab es nicht im sozialistischen Leibnitz. Einmal brachte Vater drei Schwesternschülerinnen nach Hause – die wirbelten durch die Villa mit Besen und Eimer, erhielten jede zehn Mark und die Verpflichtung einmal wöchentlich bei Doktors vorbeizukommen. Unter dem Siegel der

Verschwiegenheit. Bald fehlten diverse Schmuck-
stücke, auch ausländische Seife und Parfum. Ich
schenkte Mutter zum Internationalen Frauentag ein
wachstuchbespanntes gepolstertes Kniebrett.

In der Schule kam ich nicht mit. Begriff nicht, was
man von mir wollte. Frl. Brinkmann, das Hühnchen,
brachte mich zum Einschlafen. Ständig war ich müde,
während die anderen Kinder schwatzten und kasper-
ten und Frl. Brinkmann mit Drahtkrampen beschos-
sen.

– Von Doktors Tochter habe ich anderes erwartet,
sagte Frl. Brinkmann eines Tages zu mir. Dabei sah
sie traurig und hilfesuchend aus.

– Du bist doch intelligenter als die anderen.

Tatsächlich stand im Klassenbuch hinter dem Beruf
meines Vaters ein großes rotes I für Intelligenz. Hinter allen anderen stand A für Arbeiter oder AN für
Angestellte. Ich ahnte, daß Frl. Brinkmann dieses I
meinte, mit dem sie mich kriegen wollte. Sie suchte
für sich eine Verbündete.

– Ich kann Geige spielen, erklärte ich.

Frl. Brinkmann lächelte.

– Na siehst du. Warum paßt du dann im Unterricht
nicht auf.

– Frau Popiol war besser.

– Wer ist Frau Popiol!

– Meine Lehrerin.

– *Ich* bin deine Lehrerin.

Ich lief vor Frl. Brinkmann davon, wußte, daß ich etwas tun mußte, um nicht aufzufallen. Das I stand als
Zeichen im Klassenbuch. Von nun an beteiligte ich

mich am Krampenwerfen und Stuhlkippeln. Die Mitschüler spendeten Beifall und fielen über mich her.
– Ha, Doktors seine will mitspielen!
Ich spielte mit, es machte mir Spaß. Es war etwas ganz anderes als Hupfkästchen im Garten – eine Welt voll Radau und Knuffen eröffnete sich mir, unbändiger Spaß, den eine verzweifelte Lehrerin auslösen konnte. Fern war das gute Deutsch meiner Eltern, und ich sielte mich in den Ausdrücken der Kinder.
Vor allem hatte es mir die Gesellschaft von Katka Lorenz angetan. Katka, das kleinste, dickste und schmutzigste unter den Mädchen der 1a. Sie lebte mit acht Geschwistern, die Mutter arbeitete in der Wäschemangel, einen Vater kannte Katka nicht. Katka entführte mich eines Tages nach der Schule in ihre Wohnung auf der Leninstraße: In den Hort von Schmutz und Liederlichkeit. Ich hielt die Luft an, mir wurde schwindlig vor Gestank und Faszination. Hosen, Röcke, Mäntel, Unterwäsche von zehn Personen hingen lagen verknoteten sich; Matratzen und Federbetten, ein undurchschaubarer Wust; Äpfel, ein Brot, Bierflaschen, Babystrampler . . . ein ekelhafter Zauber.
Katka machte mir vor, wie man sich die Kleider der großen Schwester anzieht. Sie war ein Engel. Katka erzählte, wie sie von der großen Schwester geschlagen und wie sie, Katka, den kleinen Bruder dafür treten würde. Katka machte vor, wie man im KONSUM Stundenlutscher klaut. Katka war musikalisch. Sie tanzte ganz ohne Musik, immerfort tanzte sie, wälzte den kleinen schmutzigen Körper, kugelte durch

Chaos, Dreck; aß ganze *Zetti*-Schokoladetafeln oder kochte einen Topf voll Haferflocken mit Kakao. Den Brei verspeiste sie ganz allein, ich bekam nichts herunter, von dem, was sie mir anbot. Am Nachmittag kamen die Geschwister aus Schule und Dienst.
– Ich hab' heut noch nüsch gefickt, erklärte der große Bruder einem anderen großen Bruder. Der sagte:
– Dann tu's doch mit Katka ihrer neuen Freundin.
Ich rannte aus Katkas Wohnung und kam wieder. Jeden Tag nach der Schule trieb es mich zu ihr. Bald hielt ich nicht mehr die Luft an, stöberte lustvoll in dreckigen Klamotten, aß aus Freundschaft Haferflocken mit Kakao. Zu Hause erzählte ich, man habe den Schulunterricht verlängert, deshalb käme ich später. Meine Eltern glaubten es zwei Monate lang, dann ertappte mich Mutter mit Katka Arm in Arm. Wir hatten rosaweiße Pfefferminzstangen geklaut, süßes billiges Fondant, das ich zu Hause nie bekam, weil es so billig und ordinär war. In Katkas Gesellschaft aber stopfte ich große Stücke dieser Köstlichkeit in mich hinein, beschmierte Gesicht und Schulkleid.
Mutter verbot den Umgang mit Katka Lorenz. Sie holte mich täglich von der Schule ab. Hielt Ausschau, daß sich Katka nicht unserer Villa näherte. Ich wurde noch schlechter in der Schule. Versetzungsgefährdet, sagte Frl. Brinkmann.
Vater schleppte mich zum Psychologen.
– Kindliche Verweigerung, ansonsten ist sie normal. Ein intelligentes Kind.
– Was ist mit dir, Ehlchen?

Vater trank Cognac, und wenn *Napoleon* besiegt war, nahm er Wacholder oder polnischen Wodka in Angriff. Mutter kehrte Dreck und Scherben vom Parkett. Sie hatte die Frage, was mit mir los sei, bald vergessen, denn die Peinlichkeiten waren *in* mir – nach außen hin war ich Doktors Töchterlein mit dem großen roten I im Klassenbuch.

Dann kam die Zeit der Feste. Unsere Villa war dazu ausersehen: ein einmaliges Bauwerk in der Industriestadt Leibnitz – Vater als der bedeutendste Venenchirurg war verpflichtet, zu repräsentieren. Man hatte es ihm nahegelegt, die lustige trunkene Mannschaft der Chirurgen – Geben Sie doch mal eine Party, Herr Obermedizinalrat. – Es war der Ausweg aus einer tödlichen Stille, aus dem Zustand der Bedeutungslosigkeit, in den Vater jeden Tag nach dem Klinikdienst fiel. Dieser Zustand kam als ein Nebel über ihn. Öffnete Mutter ihm die Tür, schlug ihm der erste Nebel entgegen. Vater ging dann in die Küche und nahm einen Cognac oder zwei, Mutter wischte den Nebel mit Sätzen wie *Wie war es heute in der Klinik?* oder *Zum Abend gibt es Roulade, wie du sie magst, Ernst.*

Kam ich aus der Schule, lag Vater im Sessel und Mutter zitterte in den Mundwinkeln.

– Er will immer nicht essen, sagte sie.

Ich verspeiste für Vater zwei Rouladen, obgleich mir übel war vom Fondant oder Brausepulver, das meine Freundin Katka mit zur Schule brachte, mir unter die Hefte schob.

Als die Zeit der Feste anbrach, begann ich, zusammen mit Katka, Schule zu schwänzen.

– Wennde später anner Mangel arbeits, sagte Katka, verdienste mehr, als wennde studierst.

Das sah ich ein, zumal wir die letzte Unterrichtsstunde immer dawaren und Mutter mich in Empfang nehmen konnte, als sei nichts geschehen. Frl. Brinkmann belegten wir mit Ausreden. Drohten, scharfe Krampenschüsse abzufeuern, wenn sie petze. In der Pause entzog ich mich ihrem wohlmeinenden Zugriff. Ich gewann Ansehen in der Klasse.

Es war Mutter, die energisch auf *Feiern* bestand. Sie hatte keinen anderen Wunsch, als ihren Gatten aus dem Nebel herauszuholen und ihn fröhlich und bedeutend zu sehen. *Sie* war ja schließlich auch wer, und es hatte doch alles so schön angefangen, 1946 in Leibnitz, als sie ihren Beruf als Röntgenassistentin für *ihn* aufgegeben hatte, für ihn und die Villa und das Leben. Mutter organisierte die Party und schrieb Einladungen an Vaters Kollegen und an Verwandte. Letztere Karten zerriß Vater.

– Keine Familie, du weißt, wie sie sind.

Der Tod Onkel Schorschs war im Gespräch. Vater nannte Onkel Schorsch einen Idioten, obgleich er auch die Russen hasse, die der Grund seien für seine Traurigkeit, seinen Nebel ... Ich wurde aus dem Zimmer geschickt.

– Geh in den Garten, Ehlchen, heute abend gibt es ein Fest.

Am liebsten schwänzten Katka und ich die ersten beiden Schulstunden. Wir hatten ein neues Abenteuer entdeckt: Den Kanal. Rot, blau, grau oder ocker floß er durch die Stadt, schluckte die Abwässer von Brauerein, Textil- und Maschinenbetrieben, den Ausfluß der Wollfärberei. Hopfen und Malz dunstete er aus. Am Grunde trieben graue zopfartige Schlickeralgen. Katka wußte eine Stelle unter der Grünen Brücke, an der Verbote und Abenteuer ihren Platz hatten. An den Ufern wuchsen Goldruten und etwas, das wie riesiger Rhabarber aussah. Am linken Ufer, hangaufwärts, hielt sich ein Laubenhäuschen, so zerfallen und bemoost, daß wir es hätten zerschlagen können mit ein paar Rutenhieben.

– Da wohnt 'ne Bekloppte, sagte Katka.

In der Tat, nahmen wir unser neues Erlebnis in Angriff, bewegte sich die Gardine im Mooshäuschen. Ich fürchtete, graulte mich aber mit Lust, denn Katkas Gegenwart gefiel mir. Katka tanzte. Sie legte ihre schmutzigen Kleider am Uferrand ab, bis sie ganz nackt war, und forderte mich auf, das gleiche zu tun. Erst schämte ich mich und hatte Angst, der Dreck des Kanals könnte meine Haut angreifen, aber Katka erzählte von Elfen, die, je länger sie tanzten, um so schöner wurden. Katka hatte es nötig, sie tanzte und sang, und die Wülste ihres Körpers wippten auf und nieder beim *Let's twist ägähn,* beim *Rock Rock Rocknroll.* Wir hüpften jeden Tag, wenn es warm war, nackt am Kanalufer herum, lachten und alberten. Wir steckten uns Blüten von Goldrute ins Haar, aßen die sauren Triebe des Kanalrhabarbers, bekamen Durchfall, schissen uns aus und kreischten, wenn jemand von der Brücke auf uns heruntersah. Es ging so lange, bis die Polizei aufmerksam wurde. Eines Morgens standen zwei Volkspolizisten am Geländer der Grünen Brücke. Wir sahen sie sofort und schwenkten vor der Brücke auf die andere Straßenseite.

– Halt! riefen die Polizisten, stehengebliehm!

Wir rannten los, die Ranzen sprangen auf unseren Rücken, Schulbrot und Hefte warf es durcheinander – wir wußten, es war alles aus, unser ganzes Abenteuer verraten; und ich wußte, es würde eine gewaltige Strafe geben, eine unendlich schmerzhafte Strafe, denn das rote I im Klassenbuch war mein Zeichen, während Katka ein harmloses dünnes Bleistift-A und keine Strafe zu befürchten hatte. Wir wetzten die Straße entlang, beide Polizisten hinter uns her. Sie hechelten, Katka, im Laufen, schlug vor, den Hasenhaken zu machen – wir bremsten plötzlich ab, drehten auf den Fersen um und stoben zurück Richtung Kanal, den Grashang hinauf. Mich überfiel Seitenstechen. Katka war zu dick, um ausdauernd zu sein.

Da öffnete sich die Tür des Mooshäuschens, und wir wurden eingelassen. Angst pochte mir bis in die Zopfspitzen. Auch meine mutige Katka biß sich auf die Lippen.

– Kommt herein, sagte die Hexe.

Mir wurde kalt heiß kalt. Diese Stimme kannte ich. Auch der Geruch nach Collophonium war mir vertraut. Hier wohnte Frau Popiol. Die Perücke leuchtete uns den Weg.

– Wir hau'n besser ab, flüsterte Katka.

– Nein.

– Die Alte ist bekloppt, die frißt uns.

– Es ist meine Geigenlehrerin.

– *Du* kannst Geige spielen?

– Ja, Katka.

Frau Popiol führte uns ins Innere des Häuschens: Das Zimmer, niedrig, füllten Bücherstapel, ein einziger Sessel, unter dem Fenster ein blaßblättriger Gummibaum. Neben dem Fenster ein Klavier, daneben ein Regal mit unzähligen Schallplatten und Tonbändern.

– Ich spiel euch etwas vor.

Wir standen schweigend, zwei Erstkläßler, ich in blauweiß gehäkeltem Kleid, Katka im abgetragenen Rock ihrer großen Schwester. Frau Popiol zog eine Schallplatte aus ihrer Sammlung.

Aufs neue erschrak ich, hörte bereits alle Geigenvirtuosen der Welt, hörte Frau Popiols scharfe Stimme: Unbegabt, hoffnungslos. O ja, Frau Popiol hatte uns Twist und Rock'n Roll tanzen sehen, diese niedere dumme Musik, die in unserer Schule verboten war und in den Tanzsälen und überhaupt – ich sagte:

– Bitte, wir tun's nie wieder.

Da war sie wieder. Diese kurze Geste Glück. Frau Popiols Finger streiften mein Haar, sie lachte tief und spöttisch.

– Ich hab' etwas Besseres als Twist.

Im Mooshäuschen hörten wir schwere drängende Musik, die viel zu groß für uns war.

– Du bist ein intelligentes Kind, sagte Frau Popiol in die Musik hinein, während Katka bezaubert weggetreten war und ihren Körper wiegte.

– Komm wieder, wenn du willst.

– Ja, sagte ich. Und Katka darf auch mit?

Frau Popiol nickte. Sie öffnete die Küchentür. Kurt

hatte dahinter gestanden und gelauscht. Jetzt durfte er das Zimmer betreten. Wie auf Entenfüßen platschte er herein, grinste und stellte sich vor Katka. Sein Kopf wackelte. Er tanzte plump und unrhythmisch, Katka verfolgte seine Bewegungen.

– Ist der Junge krank?

– Nein, sagte Frau Popiol, er kann doch tanzen.

Frau Popiol schickte uns nun zur Schule. Es war fast Mittag. Vor dem Schulgebäude erblickte ich Vaters Dienstwagen. Frl. Brinkmann hatte Vater angerufen, hatte es gewagt, uns zu verraten. Vater stieg in weißem Kittel aus dem Wagen. Um ihn herum hatten sich die Kinder versammelt. Wie groß er ist! was für ein Schnurrbart! Ein Arzt! Ein richtiger Doktor!

Vater strafte mich nicht. Statt dessen setzte er sich zu uns in die Klasse, hospitierte. Das Hühnchen gab sich alle Mühe, den Unterricht durchzuführen. Meine Mitschüler benahmen sich musterhaft, voller Respekt vor dem Gast. Vater saß ganz hinten in der Ecke auf einem niedrigen Schülerstuhl. Weiß und schön strömte er den geheimnisvollen Geruch von Krankenhaus aus. Frl. Brinkmann war nervös. Die dünne Stimme versickerte im Kropf. Sie hatte Vater doch bestellt, damit er mich züchtige. *Strafe* hatte sie bestellt, Gerechtigkeit. Vater:

– Meine Tochter schwänzt nicht.

Frl. Brinkmann:

– Doch, leider. Sie hat asozialen Umgang. Ich als Lehrerin kann ihr den Umgang mit Katka Lorenz nicht verbieten.

Vater erhob sich mitten in der Rechenstunde.

34

Frl. Brinkmann zuckte zusammen.

– Vielleicht will uns der Herr Doktor von Haßlau erzählen, wie er unsere Menschen gesund macht.

– Nein. – Dann freundlich zur Klasse:

– Ein andermal vielleicht.

Für unsere Villa wurde eine Wirtschaftshilfe angestellt. Vater setzte es gegen den Staat durch.

– *Staat*, sagte er am Abendbrottisch – ein Wort, das ich mir merken sollte.

– Sprich nach: *Staat*, der ist dagegen, daß es Wirtschaftshilfen gibt.

Ich begriff nicht, wieso jemand dagegen sein konnte, daß meiner Mutter Arbeit abgenommen, in den vielen Zimmern der Villa der Schmutz bewältigt würde.

Die Hilfe hieß Frau Schramm. Mutter schob ihr das wachstuchbespannte Kniebrett zu und wies sie ein. Mutter hatte von nun an Zeit für mich. Frühmorgens brachte sie mich zur Schule und holte mich nach dem Unterricht ab. Die Kinder spotteten. *Mamahätschel* nannten sie mich. Katka hatte ich nur in der Hofpause. Wir schmiedeten, im Schatten der Hofkastanie, Pläne für Flucht und Abenteuer; aber die Hofpausenaufsicht war auf uns angesetzt: zackige Lehrer, noch schlimmer: Schüler der oberen Klassen. Die standen hinter uns, neben uns, brachten uns auseinander:

– Katka Lorenz geht jetzt die Papiereimer fortschaffen, und Gabriela von Haßlau hat Tafeldienst.

Still und traurig wischte ich die Tafel und erwartete meine Mutter. Katka schoß zurück: Drahtkrampen, Apfelkriebsche. Sie baute Stinkbomben aus Plaste, zerriß das Klassenbuch.

– Man wird sie in ein Heim einweisen müssen, hörte ich.

Mutter lernte zu Hause mit mir, während die alte Frau Schramm unsere Villa wischte, wienerte, bohnerte. Meine Leistungen machten Fortschritte, und beinahe fand ich, als ich lernte, Wörter zu schreiben, Gefallen daran. Vater kam jeden Tag später vom Dienst zurück. Er donnerte durch die Küche: Er wolle eine Privatpraxis gründen, aber der *Staat* erlaube es nicht, aber *er,* Ernst von Haßlau, würde es durchsetzen. Wieder dieses Wort *Staat,* das Vater gehörte, das tief aus seinem breiten Brustkorb hervorkam und in Cognac ertränkt wurde, das kaum Platz ließ für *mich.* Mutter erzählte Vater von den Fortschritten, die ich beim Lernen mache.

– Wir haben nicht genug aufgepaßt auf sie, Ernst, aber jetzt ist alles in Ordnung.

– Alles in Ordnung, lallte Vater, goß *Napoleon* in einen großen gläsernen Schwenker, legte eine Hand auf dessen Öffnung, hob sie, inhalierte, trank.

– Ernst!

– Wir geben ab heute Parties, Christiane, wir sind doch wer!

Zwei halbrunde Bogen Tütenpapier. Voll beschrieben. Ich spüre Zukunft in mir: Es könnte etwas werden mit meiner Geschichte, ein Erfolg, der mich von diesem Punkt auf einen höheren versetzt – unter der Brücke hervor, vielleicht in ein eigenes kleines Zimmer, vielleicht noch höher, aber was ist das: Höher?

Ich habe keine Vorstellung mehr davon, und wenn ich von einer höheren Welt schreibe, tu ich es als eine Fremde.

In den wenigen Betrieben, die in Leibnitz noch nicht geschlossen sind, ist Feierabend. Autos drängen über meine Brücke, der Kanal nimmt langsam seine natürliche Farbe an: graubraun. Auch ich mache Feierabend. Erhebe mich. Freilich ist Sitzen und Schreiben unter einer Brücke nicht das bequemste, aber was soll ich tun. Kühl und schattig habe ich es, und keiner achtet auf mich. In der Caritas wird es Abendbrot geben. Eine nützliche Einrichtung, man fällt nicht ins letzte Loch, sondern bekommt zu essen, Kleidung, Waschmöglichkeiten. Man ist noch wer. Aber die meisten Menschen wissen nicht, wer sie sind. Saufen und pennen – ein Leben! *Die* wissen nicht ihre Geschichte zu erzählen. Sind einfach abgefallen. Ganz nach unten. Ich gehöre nicht zu ihnen.

Dämmerung. Gutes Gefühl, gearbeitet zu haben. Ich werde in die Caritas essen gehen, Zähneputzen, dann vielleicht ins Kino. Geld reicht immer – für Essen und Kino. Das Sozialamt läßt einen nicht hängen. Nicht total. Nicht völlig bis ins Letzte. Nicht bei uns. Im BALI spielen sie Fellini. CAPITOL und BABYLON sind geschlossen. Also BALI. »La Strada«. Im Kinosesselpolster liegt sich's gut. Ein alter Film: Das arme Mädchen, das an sich selbst und ihrer Liebe verrückt wird. Und das Miststück, dieser Zampano, einsam, versufft. Mir fallen die Augen zu. Ich erwache, als mir ein Besen gegen die Beine stößt.

– 'raus hier, du Binka! Im Kino schlafen, wo gibt's denn das?

Der Besen kehrt mich ins Freie. Ich torkele, die Tüte Eigentum unterm Arm, in die Sommernacht. Leibnitz' Straßen sind tot, nur in der winzigen Kneipe »Drei Rosen« steht man beim Bier. *Binka* hatte mich der Kinomann genannt. Woher wußte er? Es war grundverkehrt, mich so fallenzulassen. So zu pennen, als hätte ich den ganzen Tag über Apfelkisten in der Markthalle gestapelt. Außerdem kann ich jetzt nicht schon wieder einschlafen. Man muß *sterbensmüde* sein, um unter der Brücke schlafen zu können. Ist man nur schläfrig, beginnt man zu frösteln und sich zu fürchten vor dem Kanal und der Dunkelheit. Jetzt ist es 23 Uhr, und ich bin munter und kann nicht wieder einschlafen. Wohin in Leibnitz. Die Caritas bietet auch Schlafplätze. Vielleicht . . . Ich gehe nicht in die Caritas. Ich betrete die »Drei Rosen«.

Die Kneipe: winzig, keine zwanzig Quadratmeter, zwei Stehtische, der Holztresen mit Aufklebern *1. FC Berlin, Olympia 2000, Test the West.* Hinter dem Tresen: Semmelweis-Märrie, drei Zentner schwer, schenkt Pilsener aus und klaren Schnaps einen halben Zentimeter unterm Eichstrich. Ich bestelle Cola, unverfroren geselle ich mich zu den Männern. Zu Rampen-Paul und Atze, Klunker-Lupo und Noppe. Zu denen, welche die Grüne Brücke besitzen, und zu denen von der Sonntagsbrücke. Eine Frau ist auch darunter: *Angschelick* sabbelt sie. Mutprobe. Cola: Süß, braun, warm.

– Nüschlieber'n Bier?

Die Drei Rosen grinsen durch die Zahnstummel.

– Nein. Auch keine Zigarette.

– Wär bissn du?

– Gabriela von Haßlau.

Die Drei Rosen lachen schreien trampeln vor Vergnügen. So einen Spaß hat man nicht jeden Abend, das haut einen vom Hocker – *von* Haßlau! Eisern bleiben. Nur Cola. Wird man aber auch nicht müde von. Apricot dazu? Von mir aus. Die Nacht wird doppeltsüß.

– Wo wohnsu, Gabrüella ffon Haßlau?

Noppe, der das fragt, spindeldürrer Sterzelhaarkopf, Witzkübel vor dem Herrn, macht eine Verbeugung.

– Hotel zum Nassen Furz, sage ich – Die Drei Rosen liegen flach. Lupo, tätowiert bis unter die Nasenwurzel, wankt vom Nachbartisch auf mich zu:

– Kennseden?

– Nee.

Klunker-Lupo hat ein kirschgroßes Loch in der Stirn, dahinein steckt er einen glühenden Zigarettenstummel. Ich hau auf den Tisch.

– Nee, kenn ich noch nicht.

Der Frieden ist besiegelt. Noch einen Apricot für die Müdigkeit. Klebt die Seele zusammen. Wo bist du nur hingeraten, Gabriela, daß es dir so gut geht. Apricot. Cola. Alles für die Müdigkeit, damit ich morgen frisch zur Arbeit ... Rampen-Paul legt den rechten Arm um meine Schultern, drückt seine Bierbrust 'ran, führt meine Hand mit dem Apricotgläschen – wohin? Das Gläschen fällt, klirrt, Apricot sickert in den Bodenmulm. Ich fühle Rampen-Pauls

Cordhosenstoff, steif vor Schmutz und Bier, Paule drückt meine Finger gegen seinen Schlitz. Drecksgekicher von Atze, der sich auch anbietet.

– Laß doch!

Ich trete den Apricot breit, fasse das Bündel Eigentum – raus!

Die »Drei Rosen« liegen hinter mir. Leibnitz schläft. Die Grüne Brücke und die Sonntagsbrücke sind besetzt. Die erste Nacht unter *meiner* Brücke. Zum Umfallen müde. Wellpappe ausgelegt, darauf ein Handtuch, darauf mein Körper, darauf die neue Caritasdecke. Schließe die Augen, liege in der freien grünen Natur, ein Bächlein strömt, nicht Malz und Hopfen, sondern klarer Waldbach, Ratten, Rehe, ein Mooshäuschen, Stalaktiten lang wie Zuckerhüte, heißest du etwa Binka? Oder Ehlchen? Zu müde zum Raten. Wer es weiß, fällt ins letzte Loch.

Morgens erwache ich, Gesicht und Decke naß vom Wasser der Tropfsteine. Die Uferhänge am Kanal frisch und grün, Goldruten blühen, wilder Klatschmohn, Löwenzahn. Ich fröstele, und obwohl ich durchgeschlafen habe, schmerzt der Kopf. Überlegen, was anzustellen sei, um nicht wieder durchgeweicht zu werden. *Neben* der Brücke schlafen ist so gut wie gar kein Zuhause haben. In der Caritas Unterkunft suchen – man wird mich hinauswerfen und aufs Sozialamt schicken oder zum Teufel. Wer weiß. Frühstück gönnen die einem, mehr nicht. Scheißverein. Trotzdem nehme ich Kaffee und Zwieback in der Caritas ein, stopfe Semmeln und Wurst für schlechte Zeiten unter das Hemd und stehle dazu noch eine

Rolle graues Klopapier. Diese wird der Fortsetzung meiner Geschichte dienen. Jahrhundertsommer! und mein zweiter Tag als freie Schriftstellerin beginnt.

– Wir sind doch wer!
Party hieß das neue Wort.
– Sprich nach, Ehlchen: Par-ty! Kommt aus dem Amerikanischen.
Vaters Finger kämmten den Schnauzer. Ich ahnte, daß etwas Verbotenes hinter dem Wort steckt, etwas, das meinem Umgang mit Katka Lorenz glich. Vater *tat* es einfach, ohne Angst, erwischt zu werden, tat, was die *Russen* einem *vermiesen!* Schäumend vor Erniedrigung, brüllte er durch die Villa.
Mutter schrieb Einladungskarten. Ich hatte die Aufgabe, auf jede Karte etwas zu zeichnen: Eine Blume oder einen Stern.
– Bloß keinen roten, sagte Mutter, mal einen gelben oder einen blauen oder einen Baum.
Ich befeuchtete die Buntstiftspitzen mit Spucke, so wurden die Zeichnungen farbiger, kräftiger. Bei unserer ersten Party brachte mir ein Kollege aus der Klinik einen echten Filzstift mit.
– Wen laden wir ein?
– Kollegen und Künstler, bestimmte Vater, keine Parteibonzen, keine Assistenzärzte, keine Schwestern, keine Familie.
Ich wußte nicht, ob *ich* in dieser Einladungskategorie bestehen konnte und gab mir Mühe, Sterne und Bäume besonders schön zu zeichnen. Ich war gespannt,

wer kommen würde. Insgeheim hoffte ich auf Frau Popiol. In meinen Augen zählte sie zu den Künstlern. Leibnitz sei arm dran mit Künstlern, hörte ich Vater sagen, aber es gibt sie!

Frau Popiol stand nicht auf der Liste. Ich war enttäuscht. Das Buffet reichte vom Musikzimmer bis ins Wohnzimmer. Die Flügeltüren waren ausgehängt, das Parkett gewienert. Drei Tage lang hatten Mutter und Frau Schramm Leckereien gekocht, gerührt, konditort. Ich durfte Paprika und Petersilie in Schnittchen stecken, Salat verzieren, Getränkeflaschen aufreihen. Ich war glücklich. Der seltsame Glanz der Villa vertrieb alle Langeweile. Großes stand bevor. Am Tag, da das Buffet vollständig aufgebaut war, stellte mich Mutter eine Stunde von der Schule frei. Ich genoß es, erlaubter Maßen zu schwänzen. Meine Eltern hatten recht: Wir waren wer. Wir hatten Macht über Frl. Brinkmann, die mich freistellen *mußte,* wir hatten Macht über den Direktor und über alle Assistenzärzte und Krankenschwestern der Welt.

Vater in grauem Anzug mit schwarzer Fliege – groß und schön, fast fremdländisch durch das schwarze Haar und den gezwirbelten Schnurrbart. Mutter in grünem Samtkleid, Perlonstrümpfen und hochhackigen Schuhen. Ich im Dirndl, weiße Kniestrümpfe, rote Lackschuhe, die Haare zu Schnecken gesteckt.

Dann die Gäste. Es kamen Oberärzte und Schauspieler, Orchesterleiter, Solisten und Kunstmaler. Zwanzig, dreißig Leute in komischen Verkleidungen und Düften, die Mutter *festlich* nannte. Sie traten ein und überreichten meinen Eltern Geschenke, mir brachten sie Sarotti-Schokolade mit oder Micky-Maus-Hefte, herrliche verbotene Sachen. Unsere Villa füllte sich mit Menschen. Man lachte und ging herum, mein Vater war wer, man nannte ihn oft und immer wieder beim vollen Namen: Obermedizinalrat Ernst von Haßlau, und Vater winkte jedesmal gnädig ab.

Unvermittelt wurde ich ins Bett gesteckt. Es sei 21 Uhr, da *müssen* Kinder ins Bett. Frau Schramm, die bis dahin in der Küche hantierte, hatte die Aufgabe, mich auszuziehen, zu waschen, in den »Kahn zu verfrachten«. Ich wehrte mich, strampelte, wollte dabeisein. Vollführte eine Szene, warf mich aufs Parkett. Mutter tat entsetzt, Vater wandte sich *Napoleon* zu – die Gäste tuschelten betreten. Ich stieß eine Schüssel Dessert vom Tisch, da packte mich ein junger Mann, hob mich auf und trug mich aus dem Zimmer. Er hatte den Polizeigriff, der mich wehrlos machte.

– Auf dem Flur fragte mich der Mann, ob ich brav sein wolle, dann würde er mir auch etwas zeigen. Ich versprach es wimmernd. Der Mann hatte blondes gelocktes Haar, das lang über die Schultern fiel. Er hieß Samuel und war Schauspieler.

– Paß auf, Kleine.

Samuel ging ins Badezimmer, schloß hinter sich die Tür. Daraufhin hörte ich einen grausamen Schrei, Stöhnen, erschauerte. Schon wollte ich um Hilfe rufen, da öffnete sich die Badezimmertür, und Samuel stürzte krachend heraus auf die Flurdielen. Unter der rechten Achsel ragte ein Besenstiel hervor. Er war tot. Ich schrie und wollte zurück ins Musikzimmer laufen, da erhob sich der Tote.

– War's toll?

Ich nickte beschämt. Samuel rannte noch gegen die Flurtür, daß ich meinte, er müsse sich alle Rippen und den Schädel gebrochen haben. Aber Samuel blieb heil. Er trug mich in die Küche. Dort saß Frau Schramm und polierte Gläser. Samuel nahm ihr das Putztuch ab und machte sich an die Arbeit. Er warf Gläser und Teller, jonglierte Bratpfannen, Messer, Gabeln. Frau Schramm und ich waren begeistert, Samuel balancierte den Messerschleifer auf der Nase – er fiel herunter und Samuel auf den Fuß. Der Schauspieler hüpfte und hielt sich die Zehen, ich lachte, daß mir die Tränen liefen. Frau Schramm stand jetzt Schmiere an der Küchentür – Samuel zeigte noch andere Kunststücke, bis mir der Kopf vor Gelächter zu platzen drohte.

Am nächsten Morgen. Es war Samstag, und nur ich mußte aus dem Haus in die Schule. Ich stieg über die Reste der Party. Die Villa war verwüstet, Frau Schramm nicht aufzufinden. Ich war noch müde und tapste in Fleischsalatreste. Ganze Batterien *Napoleon* und andere Flaschen rollten leer übers Parkett, ich rief nach Vater und Mutter. Vater fand ich im Bad auf dem Klo sitzend – die Anzughosen von sich geworfen, Beine nackt. Er lehnte vornüber auf dem Waschbecken und schlief. Das Waschbecken war mit Erbrochenem verstopft. Vater atmete, war also nicht tot. Mich würgte es, ich ging ins Schlafzimmer. Stand in der Tür. Im Ehebett lagen meine Mutter und der junge blonde Samuel. Beide nackt. Ich sah sie lange an. Zugegeben, es war ein schönerer Anblick als der meines Vaters, fast wie ein Gemälde. Gegen die gläserne Frisierkommode gelehnt, schaute ich diesem Schlaf zu, bekam Lust, mich dazuzulegen. Aber ich mußte zur Schule. Täglich spürte ich mehr und mehr den Drang, pünktlich und fleißig zu sein, zu zeigen, was in mir steckt. Mutter mußte also geweckt werden. Von der Kommode nahm ich den Flakon Haarlack, drückte die kleine Pumpe und sprühte das klebrige Zeug Mutter auf den Bauch. Davon erwachte Samuel. Er sprang wie ein Kater aus dem Bett.

– Ogottogott, flüsterte er, nahm mich bei der Hand und führte mich aus dem Schlafzimmer. Das Bad sei besetzt, sagte ich. Samuel kicherte: Er wasche sich ohnehin *nie.* Ich half ihm, seine in der ganzen Villa verstreute Kleidung zu finden.

– Ogottogott! – Er schüttelte den blonden Schopf, zog sich an und sagte:

– Paß auf!

Samuel nahm einen leeren *Napoleon,* setzte die Flasche an und trank und trank die ganze schnapsduftende Luft. Sein Körper zuckte, die Augen verdrehten sich, er wankte und brach wie eine vom Faden geschnittene Marionette auf dem Parkett zusammen. Samuel war nicht zu erwecken. Erst lachte ich, dann kitzelte ich ihn. Aus seinem Mund lief Blut – ich erschrak, rannte aus dem Zimmer, Samuel überholte mich und zog eine Tomatenschale zwischen den Zähnen hervor.

– War's toll?

Samuel besuchte unsere Familie öfter. Im Schauspielhaus spielte er den Erzengel Gabriel. Vater war stolz auf ihn, obwohl er Theaterbesuche nur wegen *Prestiesch* absolvierte. Das Wort *Prestiesch* gehörte Vater, Mutter gehörte der Körper Samuels. War Vater in der Klinik und ich im Garten Hüpfkästchen spielen, sah ich ihn manchmal durch die Ritzen der Jalousien. Mutter war an solchen Tagen immer besonders lieb zu mir und großzügig.

– Wenn du willst, Ehlchen, darfst du auf die Straße spielen gehen.

Samuel verließ das Haus immer über die Verandatreppe, und nur wenn er offiziell geladen war, trat er, galant und höflich, aus dem Haupttor. Vater prahlte mit seiner Freundschaft, und Mutter lächelte dazu. Wenn er mich sah, stürzte er tief getroffen zu Boden oder rammte die Wand – ich war stets aufs neue erschrocken.

Die Partys häuften sich. Alle vierzehn Tage füllten Gäste unsere Villa. Längst brauchte man keine geschriebenen Einladungen mehr, um bei Doktors zu verkehren. Assistenzärzte, Krankenschwestern und sonstige Leute ohne *Prestiesch* wagten ohnehin nicht zu erscheinen. Leibnitz verehrte uns, Leibnitz lästerte. Trotzdem hatten meine Eltern kaum noch Überblick über die Gäste. Jedesmal erschienen neue, jedesmal brachte jemand andere mit: Einen Künstler aus Berlin, einen Schriftsteller aus Dresden, einen Zirkusdirektor, sogar einen Nervenarzt aus Hamburg. Männer traten ein und stellten sich als *Irgendwer* vor, freundliche Herren aus Kunst und Medizin, die aßen und tranken und redeten. Auch mit mir redeten sie – ein Dr. Queck oder Professor Müller oder

Herr Labuhn oder wie immer sie hießen. Alle führten wilde, eitle Gespräche. Spätabends, wenn ich dabei war einzuschlafen, hörte ich das Wort *Staat* und das Wort *trotzdem*, und ich träumte wüst in den Tag hinein. Die Feste des Obermedizinalrates von Haßlau hatten sich in der Stadt herumgesprochen.

Eines Abends, die Party war bereits in vollem Gange, rief mich eine Stimme in den Garten. Ich stahl mich aus dem Haus, in der Annahme, einer der Gäste hätte den Eingang verfehlt. Im Garten erwartete mich Katka. In einen dunklen Mantel gehüllt.

– Läßt du mich rein?

– Bist du verrückt? Es ist schon spät, deine Mutter wird ...

– Bin abgehaun.

– Mensch, Katka.

– Läßt du mich nun oder nicht?

Ich schleuste Katka durch die Veranda ein. Wir versteckten uns im Kinderzimmer. Katka staunte.

– Was du alles hast.

– Und noch viel mehr, gab ich an.

Ich organisierte für Katka Pasteten und eine Flasche Bier. Wir kicherten, tranken Bier und übten uns in Verkleidungen. Aus Mutters Schrank holte ich das Hochzeitskleid und zog es über.

– Oh, meine Prinzessin, dienerte Katka und hob den Saum ihres schmuddeligen Strickkleides.

Ich näselte:

– Katka, das Fläschchen! ich werde ohnmächtig.

Katka brachte die Bierflasche, ich trank einen tiefen Schluck.

– Hopphopp, und nun Schuhe putzen!

Katka spuckte auf meine Hausschuhe. Sie verlor die Lust. Ich malträtierte sie weiter.

– Kämm mir die Haare!

Katka wollte nicht hören, ich schubste sie gegen die Wand.

– Ich hab dich reingelassen.

Wir waren betrunken vom Bier und von Mutters Hochzeitskleid. Katka wollte Prinzessin sein. Ich verbot es ihr. Weiß nicht, *was* es war, das mich so streng zu ihr sein ließ – eine kühle Wut, Ekel vor ihrer Nichtigkeit oder die versteckte Lust davonzulaufen. Wie Katka. Katka verließ die Villa noch vor Mitternacht. Wo sie schlief, wußte ich nicht. Am nächsten Morgen trafen wir uns in der Schule. Ob wir geweint hätten, wollte Frl. Brinkmann wissen. Unsere Gesichter waren rot, verquollen, als hätten sie Prügel bezogen.

Tag für Tag: Tropfstein Caritas Apricot Schreiben Schlafen Tropfstein … Ich schlage aus, was mir das Sozialamt bietet: Arbeit im Waschsalon oder Postzustellerin. Ich kann nicht, will nicht. Meine Geschichte hält mich gefangen. Einmal wache ich nachts auf: Im Traum war ich zusammengezuckt, der Schmerz wie eine Ernüchterung: Wo bin ich? Ich schreie, zittere, das Unfaßbare: Unter einer Brücke. Auf Decken und Pappen wie der letzte Penner. Der letzte Arsch. Ich träume, bin wahnsinnig – ha! nichts von beidem. Ich rase, schlage die Stirn dagegen: Das Brückengewölbe glitschiger Stein; den Kanal kenne ich seit der Kindheit – es stinkt nach Malz und Jauche. Ich raffe das Bündel zusammen, schlotternd vor Angst und Entsetzen klettere ich den Uferhang hinauf. Das Mooshäuschen – nur noch eine Ruine. Ich lasse es hinter mir und renne durch das nächtliche Leibnitz. Nach Hause! Wohin? Wohin du willst, sagt eine Stimme. Ich bin wahnsinnig. Sie suchen mich, fahnden nach mir. Wie lange habe ich schon unter der Brücke geschlafen, wo kommt diese graue kratzende Decke her? Woher Pappen, Tüten, Klopapier? Krank bin ich, irrsinnig – in diesem Moment erkenne ich es.

Der Polizist fragt nach Ausweis und Wohnort.

– Ich bin ausgezogen, das Fürchten zu lernen.

– Du lernst es gleich, sagt der Polizist.

Nimmt mich mit auf die Wache. Dort ist es hell und warm, die Diensthabenden rauchen und tippen auf ihren alten Schreibmaschinen. Sie sind müde, ich bin munter wie noch nie.

– O Mann! schnauzt ein erdnußförmiges Gesicht: Name, Adresse, Delikt.

– Delikt? Ich heiße Gabriela von Haßlau.

Die Erdnuß telefoniert.

– Eine *ffon* Haßlau, jaja, *ffon*, sie gibt sich als solche aus! kläfft der Polizist in die Muschel.

Ich finde mich in der Aufnahme der psychiatrischen Abteilung des Städtischen Krankenhauses. Schon wieder, denke ich. Höre Worte wie *asozial* und *durchgeknallt*.

– NEIN! sage ich. Ich will das alles nicht, ich bin Schriftstellerin.

Jede Erklärung ein Fehler. Sie sperren mich in den

Schlafsaal, wo ich, erschöpft nach stundenlangen Befragungen, zwischen lauter Irren zur Ruhe komme. Am nächsten Tag bin ich wieder frei. Man hat nichts Pathologisches an mir feststellen können. Finde mich auf der Straße, die ich seit Wochen bewohne, erinnere mich meiner Mission. Schreiben, nur noch Schreiben. Der Sommer warm, fast regungslos. Es gibt nur *einen* Ort, wo ich wohne. Von der Litfaßsäule fetze ich ein Plakat: David Dreamer, größter Magier aller Zeiten, steht darauf. Die Rückseite weiß, leer, gut genug, um mit meiner Geschichte fortzufahren.

Mein Mann hat sein *Prestiesch* verloren, hörte ich Mutter zu Frau Schramm sagen, als sie ihr in der Küche beim Bohnenschnippeln half. Ich ahnte, daß es etwas Wichtiges für Vater sein mußte, und begann heimlich in der Wohnung und auf der Straße danach zu suchen. Wenn ich nur wüßte, wie *Prestiesch* aussieht. Ich fühlte keine besondere Liebe zu Vater, eher beobachtete ich ihn wie ein fremdes Tier. Manchmal durfte ich zu ihm auf den Schoß und Napoleonwolken riechen, ein nächstes Mal gab er grundlos Ohrfeigen, meistens wenn *Napoleon* leer war oder wenn er sich mit Mutter wieder mal über das Wort *Staat* gestritten hatte. Ich fragte Mutter nach Vaters *Prestiesch,* wo ich es finden könnte. Mutter lächelte traurig und sagte:
– Wer an Türen lauscht, bekommt lange Ohren.
Auch Frau Schramm seufzte nur und zeigte auf die leeren Schnapsflaschen im Mülleimer.

– Geht mich ja nix an, aber der Herr Doktor ...

Ich kam gerade aus dem Garten, da hörte ich es in der Villa poltern. Vater wird betrunken die Treppe heruntergefallen sein. Ich eilte ins Haus. Nicht Vater war es, sondern Samuel. Der blonde Engel lag im Flur ohne Hemd und Hose, beide Beine blutig aufgeschlagen. Oben aus dem Schlafzimmer greinte Mutter, in ein Bettlaken gehüllt. Vater, im Arztkittel, stand vor Samuel, zog das Stethoskop aus der Kitteltasche und schlug zu. Samuel winselte, die Gummischläuche fauchten. Vater ließ das Stethoskop sausen sausen sausen, ich warf mich dazwischen.

– Was wollt ihr alle hier! heulte Vater.

Samuel rappelte sich auf. Diesmal hatte es ihn erwischt, und ich wunderte mich, daß es ihm nicht peinlich zu sein schien. Samuel humpelte aus der Villa, nicht ohne der Mutter eine freche Kußhand zuzuwerfen. Vater schlief nach dieser Szene erschöpft im Sessel ein. Man hatte ihn frühzeitig aus der Klinik nach Hause geschickt. *Prestiesch*, dachte ich und begann, Vater zu fürchten.

Die Scheidung meiner Eltern fand im Sommer statt. Ich war dreizehn Jahre alt, und mir schien bis zu diesem Tag, als sei ich nicht anwesend gewesen auf dieser Welt. Ich kroch unter die Verandatreppe, suchte nach irgend etwas, fand Spinnen und Regenwürmer. Bewußtlos nach oben die Treppe zum Wäscheboden. Die Lattentür geschlossen, auf dem Boden stand die Hitze. Balken, Kisten und Gerümpel dunsteten schwere Holzdämpfe aus. Daumenbreit hatte sich Staub auf dem Boden abgelagert. Es stank nach Marderdreck. Alte graue Spinnennetze ließen Fäden vom Dachgebälk herabhängen. In den Netzen, wie in einer Falle klebend: weiße Hüllen gehäuteter Kreuzspinnen. Ich stöberte im Gemöhle herum, brach Kisten auf, durchwühlte Körbe. Ich versuchte zu weinen. Unten im Musikzimmer spielte die Scheidung meiner Eltern. Ich setzte mich auf einen Haufen Lumpen und wartete im Knistern sommerschweren Gebälks auf Tränen. Neben mir, in einer holzkäferzerfressenen Truhe, fand ich Bücher. Nebeneinander legte ich, was die Kiste barg: 8 Bände »Goldköpfchen«, 6 Bände »Nesthäkchen«, etliche Wander- und Naturgeschichten – die Bücher meiner Großmutter. Ich schlug das erstbeste auf, buchstabierte mich durch die alte Schrift, erfaßte bald die Sätze, las. Den ganzen Tag und die halbe Nacht las ich Mädchengeschichten. Ich war nun dankbar, daß die Tränen ausblieben, daß sich mir eine Welt eröffnete. Ich las Buch um Buch. Immer wenn die Schule aus war, stieg ich auf den Dachboden. In der Schule blieb ich eine mittelmäßige, in sich gekehrte Schülerin, kontaktarm, überheblich. Vater hatte verboten, daß ich Mitglied der Pionierorganisation werde. Affenzirkus! – Er faselte etwas von Kirche und ging bis zum Direktor. Einzig Katka Lorenz brachte mich in nimmermüdem Bemühen dazu, hier oder da Verrücktes anzustellen. So überredete sie mich, zum Fahnenappell mit einem riesigen blauen Pionierhalstuch zu erscheinen – die Zipfel müssen bis auf die Erde hängen, und der Pionierknoten muß die Größe eines Kohlrabikopfes haben! Katka besorgte blaues Tuch im Um-

fang einer Tischdecke, schlang es mir um Hals und
Schultern.

– Stell dich einfach in die erste Reihe.

Sie versprach mir eine Überraschung, wenn ich mich
trauen würde. Ich traute mich. Es war der Appell, an
dem die Pioniere ihren letzten Auftritt hatten, dann
waren sie alt genug, um Mitglied der Freien Deutschen Jugend zu werden. Ich, die ich nie bei Appellen
anwesend sein mußte, stand also in der ersten Reihe.
Das blaue Riesentuch leuchtete, und im Halbrund
der Schüler prustete es vor verhaltenem Lachen.
Jetzt sah es auch der Direktor. Er hielt in seiner An-
sprache inne, trat auf mich zu – mir stockte der
Atem –, der Direktor ging an mir vorbei, stieg durch
die Reihen, griff sich Frl. Brinkmann, zerrte das
Hühnchen nach vorn, in die Mitte des Kreises. Sie
bekam ab, was mir zustand.

Weinend sprach sie noch am selben Abend bei Vater
vor. Sein schallendes Gelächter muß sie erledigt haben. Zwei Wochen war Frl. Brinkmann krankgeschrieben. Als Belohnung für den geglückten Streich
nahm mich Katka Lorenz mit auf die Schultoilette.

– Ich zeig dir was.

Ein paar dunkelrote Kleckse im Klobecken. Die gehörten Katka. Ich fürchtete mich davor. Katka war
soweit.

Mutter zog zum Schauspieler Samuel. Zum Abschied
küßte sie mich und rief mit gespielter Fröhlichkeit:

– Du kannst uns jederzeit besuchen, Dresdner Straße 8, hörst du, Dresdner 8, dritter Stock!

Sie drückte mir die Hand, Samuel machte noch ein-

mal die Nummer »Ermordeter stürzt aus dem Badezimmer« – dann stand ich allein. Die folgenden Tage
und Wochen hielt ich mich vor allem in der Küche bei
Frau Schramm auf. Öfter als zuvor hatte Vater
Nachtdienst, aber er kam häufiger früh aus der Klinik
zurück. Alle Partys waren abgesagt, Vater sprach
kaum noch. Setzte sich in den Sessel und schlief oder
trank *Napoleon*. Er aß nur noch wenig, und eines
Sonntags, als ich ihm morgens im Badezimmer be-
gegnete, hatte er weißes Haar.
– Siehst du, Ehlchen, sagte er ganz ruhig, *das* hab ich
mir verdient.
Der Schnurrbart war dunkel geblieben. Ich machte
Vater hilflose Komplimente.
– Es sieht nicht häßlich aus.
– Scheiß Staat! fluchte Vater.
Er warf eine Vase gegen die Wohnzimmervitrine.
Beides ging klirrend zu Bruch. Er hämmerte wild auf
dem Klavier, zerschnitt in sinnloser Wut Bettwäsche
und Gardinen. Er war kein Obermedizinalrat mehr.
Ohne die praktische Frau Schramm wäre Vater bin-
nen kürzester Zeit verlottert. Als Vater sich die ärg-
sten Gefechte mit *Napoleon und Consorten* lieferte,
als er hilflos gelähmt auf dem Boden lag und der
Notarztwagen geholt werden mußte, als er Arbeits-
verbot und eine Entziehungskur angeboten bekam,
als ich zu Samuel ziehen wollte, als mir Frau Popiol
begegnete, hier, dort, in verzweifeltem Traum, als
ich
– Dein Vater wird lang liegenbleim inner Klinik, so'n
Suffschock dauert, mar müssen entgiften. Aber, Ehl-

chen, wenner wiederkommt, ist das ganze Zeuch wech!

Frau Schramm vernichtete den gesamten Alkoholvorrat, den Vater besaß. Sie schwor, von nun an wie ein Geier achtzugeben.

– Keinen Schluck mehr, nee, der Herr Dokter aber auch ...

Vater kam aus der Anstalt zurück und nahm, was er fand: Rasierwasser und Klarofix-Fensterreiniger, Kölnisch Wasser, Haartonikum, Fagusan-Hustentropfen. Er schluckte das Rum-Backaroma, bettelte Frau Schramm um ein Glas Bier an oder um ein winziges Gläschen *Napoleon*. Ein winziges nur. Frau Schramm blieb eisern und sperrte alle Türen und Fenster zu, damit Vater nicht fliehen konnte. Er war krankgeschrieben. Ich fand das Verhalten von Frau Schramm grausam, trotzdem war ich ihr dankbar. Vater zitterte jeden Tag mehr.

– Radikalkur! bestimmte Frau Schramm.

Vater wurde immer weicher, hilfloser. Stundenlang saß er im Sessel, hörte Radio. Er faßte mich manchmal an – die Hände kalt und flatternd, als wollte er etwas erklären. Er trank Unmengen Kaffee, fraß tütenweise Bonbons. Einmal sagte er:

– Ich geh weg von hier.

Vater blieb. Langsam wurde er fett, zwei Schneidezähne fielen ihm aus. So sah ich ihn täglich. Es war, als ginge er mich nichts an, und es kümmerte ihn wenig. Ich schlich herum, als wäre ich nur halb lebendig. Die Schule machte mir in den mittleren Klassen immer weniger Vergnügen, immer öfter wurde das

Wort *Staat* im Unterricht gebraucht, ermüdete auf unerklärliche Weise. Im Fach Staatsbürgerkunde war es am schlimmsten. Einmal schlief ich sogar ein. Herr Wanzke, unser Lehrer für Staatsbürgerkunde und Geographie, ließ vom Pult aus Kreidestückchen und Schwämme fliegen. Währenddessen dozierte er:
– Die Souveränität des werktätigen Volkes, verinnerlicht auf der Grundlage des Demokratischen Zentralismus, ist das tragende Prinzip des Staatsaufbaus ...

Wanzke verpfiff mich beim Direktor. Der Direktor: Ich sei ein Spezialfall, man wisse mich nicht so recht einzuordnen. Aber Vorsicht, Kollege! – Dabei verwies er auf das rote I im Klassenbuch. Frl. Brinkmann hatte wieder eine 1. Klasse übernommen. Unsere, die 8c, hatte ihre Pionierhalstücher abgelegt und neue blaue FDJ-Hemden erhalten. Wieder war ich nicht dabei. Vater war dagegen.

Die Zeit ein dicker schwerer Kreideschwamm voll Wasser. Von Vater hieß es, er sei trocken. Nur die Bücher auf dem Dachboden heiterten mich auf. Ich wußte nichts anderes anzufangen. Besuche bei Mutter und Samuel wurden zunehmend langweiliger. Sie redeten nur noch vom Theater und Mutter neuerdings von Frisuren und Kleidern. Mutter steckte mir Geld zu: Kauf was Hübsches. Samuel lief gegen die Wand, ich lachte, ohne zu lachen. Versuchte, mich Katka wieder näher anzuschließen, aber Katka hatte keine Lust mehr zum KONSUM-Klau oder gar auf unseren kindischen Kanaltanz. Seit sie mir ihr Regelblut gezeigt hatte, war sie der Kunst verschrieben. Katka kritzelte unablässig im Unterricht verrückte geometrische Figuren, wilde Dinge, Fratzen – sie übermalte alles, strich durch, radierte.

– Kunst, sagte sie stolz.

Hofpause war angesagt, der Klassenraum leer. Katka heftete zwei Dutzend ihrer Kunstwerke an die Klassenraumwände. Als Wanzke dies sah, befahl er:

– Freiwillige vor!

Keiner wußte, was gemeint war, keiner stand von seinem Platz auf.

– Grumert, Dreyer, Haßlau – nach vorne!

Wir gehorchten. Wanzke tauchte den Kreideschwamm ins Wasser, gab ihn dem Schüler Grumert in die Hand.

– Wirf! Wer die meisten Bilder aus Katkas Kunstgalerie trifft, bekommt in Staatsbürgerkunde eine 1.

Grumert warf, der nasse Schwamm klatschte gegen die Wand. Keiner lachte. Wanzke wiederholte die Vorbereitung, tauchte den Schwamm ins Wasser. Petra Dreyer ließ ihn gleich fallen.

– Mach' ich nicht.

– Fünf! – Wanzkes Stimme schnappte über, er tauchte den Schwamm zum drittenmal ein. Jetzt war ich dran.

– Du könntest eine 1 gebrauchen, Frl. von Haßlau, grinste Wanzke.

Da warf ich den Schwamm und traf sofort. Nach allen Seiten spritzte es, in Strömen lief Farbe über die Wand – den Schwamm zurückholen, wieder nach vorn zum Pult, zielen und – platsch! Das nächste von Katkas Idiotenkunst. Noch immer kein Lacher in der

Klasse. Ich warf und warf. Das Zimmer triefte von der Schlacht, selbst Wanzke wurde es mulmig: Wie sollte er je die Wände wieder sauber kriegen. Als alle Bilder aufgeweicht und heruntergefallen waren, verließ ich den Raum. Mir war schlecht, und ich hängte den Kopf über das Waschbecken in der Toilette. Es kam nichts aus mir heraus. So wusch und schrubbte ich mich, sah im Spiegel ein dummes Gesicht und dachte nur: Die schwarzen Haare hast du von deinem Vater. Ich begann zu weinen. Alle Schleusen öffneten sich, ich heulte, von Krämpfen geschüttelt, haltlos, hilflos.

– Nun mach'n Kopp zu, sagte jemand. Katka. Sie reichte mir ein riesiges Bauarbeitertaschentuch.

– Ganz sauber isses nich mehr.

– Ich schneuzte mich und heulte sofort wieder los. Katka erklärte, daß es sich noch immer um Kunst handele, auch wenn die Bilder jetzt naß und zerrissen seien. Ich fiel Katka in die Arme, sie tätschelte meinen Rücken. Ich hatte mich muntergeheult. War erwacht. Hand in Hand ging ich mit Katka Lorenz zurück ins Klassenzimmer. Wanzke sagte keinen Ton, als ich die 1 eigenhändig aus dem Klassenbuch herausstrich.

Meine Krankheit heißt Erwachen. Immer, wenn ich aufhöre zu schreiben, droht sie, mich zu ernüchtern. Sie ist das einzige, wovor ich Angst habe. Im September geht der Jahrhundertsommer zur Neige. Nachts beginne ich zu frösteln. Längst ist die Goldrute verblüht, und der Kanalrhabarber wird braun und welk. Die Gestalten der Grünen Brücke und der Sonntagsbrücke rücken näher zusammen. In den »Drei Rosen« bestimmen sie, wann Nacht wird. Immer länger ziehen sie das Tagesende hinaus, ich ziehe mit: Cola und Apricot. Den Gesprächen der alten Lumpen mag ich nicht folgen. Schweigend bin ich in ihrer warmen Mitte. Die erzählen immer die gleichen Geschichten, Anekdoten aus dem Knast, Weiberärger. Sie beleidigen mich in einem Maße, das kein Mensch erträgt. Ich ertrage es, weil es anders nicht geht. Es kommt vor, daß einer nicht mehr erscheint. Nie wieder. Rampen-Paul ist der erste. Man trinkt eine Trauerrunde. Semmelweis-Märrie macht Umsatz.

– Sie wollen die Wollfärberei schließen.

Ein Prosit ein Prosit ein Prosit der Gemütlichkeit! Die »Drei Rosen« füllen sich bis zum letzten Stehplatz. Ich fürchte um meine Brücke. Der Gedanke, es könnte ein Neuer meine Schlafstelle einnehmen, bedrängt mich. Früher als die anderen verlasse ich die Kneipe und besetze, was mir zusteht.

Im Herbst gibt es kostenlos Obst aus Gärten und eine zusätzliche Decke von der Caritas. Von einer Küchenfrau erhalte ich den Tip, wo ich eine Scheune zum Schlafen finden könne.

– In Meckelnburg, gucken Sie mal dort, *Sie* hamms doch nüsch nötich, unner der Brücke, Frollein.

– Mecklenburg kenne ich, ich bin noch lange nicht im letzten Loch!

Die Küchenfrau tippt sich an die Stirn.

– Bescheuert.

Ich dusche täglich. Im Gegensatz zu den Kunden aus den »Drei Rosen« halte ich mich sauber. Habe außerdem gelernt, daß die letzte Dusche eiskalt sein muß. Dann friert man weniger. Überhaupt läßt sich mit zwei Decken gut schlafen. Nur wenn es regnet und der Kanal anschwillt, wird mir kalt. Es kommt vor, daß der Kanal über die Ufer tritt. Er ist ja keine zwei Meter breit und in ein Betonbett gefaßt. In dieser Zeit nächtige ich auf dem Hangufer in einer schmalen Höhle zwischen Brückenkopf und Straße. Starker Regen hat den Vorteil, daß er den Kanal säubert. Die stärkere Strömung wühlt den festgesetzten Unrat und die Schlickeralgen auf, der Kanal brodelt fett und dunkelbraun durch Leibnitz. Tage nach dem Regen ist das Wasser manchmal fast klar. Und da das Wasser seit sieben Tagen die Farbe nicht mehr ändert, weiß ich: Die Wollfärberei ist geschlossen.

Eingemummelt auf einer Bank im Schillerpark, versetze ich mich zurück in die Zeit meiner Anfänge. Aus einem Imbiß habe ich Servietten erbeutet, aus einem Container ein paar Blatt einseitig bedrucktes Papier. Darauf schreibe ich, dem Aufwachen entgegen.

Unter der Waschkellertreppe hatten sich wieder schwarze Spinnen eingenistet. Hier zeigte mir Katka ihre Kunst. Sie erklärte die wilden Schmiererein, lehrte mich Farben sehen, Linien, Schatten, Licht. Katka vertraute mir an, sie habe einen Mann geküßt.
– Wen?

– Wanzke. Unten am Kanal. Als Entschuldigung.

– Und?

– Nichts und. Es ist nichts Besonderes.

Immer wieder wurde ich von Katkas Wesen abgestoßen. Ich wurde nicht klug aus ihr. Sie verachtete Wanzke nicht, wie ich es tat. Sie war Mitglied der Freien Deutschen Jugend und redete allerhand Unverständliches gegen das Wort *Staat*. Ich ahnte nur, daß sie dagegen sein mußte, denn Wanzke griff sie sich nach jeder Staatsbürgerkundestunde. Ich verstand nicht, was los war mit ihr, trotzdem zog sie mich an, schmuddelig, dick, fröhlich und frei.

Vater ging wieder in die Klinik und operierte Varizen. Neue Zähne hatte er sich machen lassen und das Haar schwarz gefärbt. Keinen Tropfen *Napoleon* rührte er mehr an. Frau Schramm verbuchte es als ihren Erfolg und betätigte sich leidenschaftlich als Mixerin für Milch- und Teegetränke. Vater richtete sich wieder auf. Er bemühte sich, streng aufzutreten, die Villa zu beherrschen wie in alten Zeiten. Plötzlich interessierten ihn meine schulischen Leistungen; er achtete auf den Umgang, den ich hatte. Katka Lorenz verbot er, sich auch nur in der Nähe der Villa blicken zu lassen.

– Sie hat eine Macke und ist asozial.

Ich sollte nach der achten Klasse die Erweiterte Oberschule besuchen, dann studieren. Wanzke erklärte Vater, daß das als Nicht-FDJ-Mitglied unmöglich sei. Gesellschaftliche Organisation sei Voraussetzung für ein Studium an einer sozialistischen Universität. Vater schnauzte Wanzke im Schulhaus zusammen – er hatte eine seltsame Macht. Wanzke duckte sich, klein und spillrig wie er war, unter Vaters Worten von Gleichheit und Gerechtigkeit. In Staatsbürgerkunde stand ich auf einer glatten 5. Versetzungsgefährdet. Vater ereiferte sich. Sein Zorn galt dem *System*, der Schule, dem Lehrer Wanzke. Wenn ich sitzenbliebe, sei's aus mit dem Studium. Mich nervte Vaters Jähzorn, sein Auftreten zu Hause und seine fortwährenden Schulbesuche. Es ging nicht um mich, es ging um ihn. Um das verlorene *Prestiesch*. Er mußte es wiederhaben.

– Du lernst jetzt! befal er, du lernst jetzt diesen ganzen Dreck von Geschichte und stellst dich mit dieser Ratte, dem Wanzke, gut. Es wird die Zeit kommen, da geht es diesen Bonzen an den Kragen, Ehlchen, da wirst du sehen, wer wir sind, Ehlchen.

– Wer sind wir denn?

Vater schlug mich. Noch nie hatte er mich richtig geschlagen, aber diese Frage brachte ihn dazu. Seit diesem Tag wußte ich nicht mehr, was ich tat. Es begann damit, daß ich mich meldete, mitten in der Staatsbürgerkundestunde aufstand und kundgab:

– Herr Wanzke, ich weiß, daß Sie eine Schülerin küssen.

Johlendes Gelächter, auch von Katka. Der spillrige Wanzke duckte sich, fummelte am Klassenbuch, schrieb etwas ein. In der Pause zeigte er mir eine große rote 1 in meiner Namensspalte.

– Wir verstehen uns, Gabriela?

Das Gerücht vom Schülerinküssen nahm in der Schule seinen Lauf, bei mir häuften sich die Einsen. Ich

beschloß, in die FDJ einzutreten. Am Abendbrottisch fiel Frau Schramm das Messer aus der Hand, und Vater verließ sofort den Tisch: Ich war im Blauhemd aufgetreten, hatte ein schriftliches Lob in der Tasche.
– Bis du wahnsinnig? – Frau Schramm zupfte am blauen Stoff, als sei er unecht. Vater schimpfte mich idiotische Binka! Ich hatte Vater nun ausgiebig bestraft, auch die Niederlage Wanzkes bereitete mir Vergnügen. Man staunte über meine Aktionen. Der Direktor bestellte mich zu sich, gratulierte zu meinem neuen Klassenstandpunkt.
– Prima, Gabriela Haßlau.
– *Von* Haßlau.
Ich wußte, was ich sagte, und wußte es nicht, oder ich wußte, daß ich es nicht wußte, und trotzdem sagte:
– *Von,* ffon Haßlau!
Der Direktor wechselte das Thema: Er habe gehört, ich wisse, also er meine, ich könne wissen, daß der Kollege Wanzke ...
– JA! – Ich sagte klar und vernehmlich: JA.
Mein Mund redete etwas mir Fremdes. Ja, ich wußte. Das Fach Staatsbürgerkunde fiel für die nächste Zeit aus. Ein neuer Lehrer sei noch nicht bereitzustellen.
– Du hast Wanzke fertiggemacht, sagte Katka.
– Ja.
– Er sitzt ein.
– Ja.
– Weißt du, *wie* er geküßt hat?
– Ja.
Katka ließ mich stehen. Plötzlich war ich allein. Wollte weg. Wohin? Wohin du willst. Ich lief durch die

Stadt. Die Stadt endete am Kanal. Immer endet diese Stadt am Kanal. Wohin noch? Ja oder nein. Wohin du willst. Ich weiß nicht, wohin ich will. Ja. Nein. Ich bin noch nie geküßt worden. Lüg nicht. Am Kanal steht ein Häuschen. Wer wohnt in dem Häuschen? Ja oder nein. Einen Bogen darum machen. Worum? Weiß nicht, wohin du willst. Tanz am Kanal. Ich kann nicht tanzen. Total unmusikalisch. Du weißt nicht, wer du bist. Ja. Nein. Ich lief und lief und bekam Seitenstechen und machte schlapp.

An der Litfaßsäule auf dem Leibnitzer Theaterplatz das Plakat:

>Antonio Vivaldi
>Violinkonzert a-Moll op. 3
>Solistin: Maria Elke Popiol

Wahnsinn. Verrückt. Meine Lehrerin. Mein erster Kuß. Ich kann Geige spielen. Ich kann gar nichts. Rannte nach Haus, zog mich um, zerdrosch mein Sparschwein.

– Wohin gehst du?
– Wohin ich will.

Zurück zum Theaterplatz. Konzertbeginn. Ich saß zwischen vielen Leuten, mein Körper war fremd und bedeutungslos. Ich fürchtete in einem Traum zu sein und Maria Elke Popiol wäre nicht *meine* Frau Popiol. Dann kam sie und spielte. Die rote Perücke, zu einem Berg toupiert, ließ mir den Atem stillstehen. Sie war es. Was für eine Musik, Klänge aus einer *Welt*. Sie spielte leicht und toll geworden, Hexe, Märchentönerin – das war Musik. Etwas, das ich nicht kannte.

– Spiel nach, Gabriela! Und Frau Popiol spielte, die Leute applaudierten, Donner, Dackelkläffen, das ist eine Vi-o-li-ne, Musikuntergang, wo bin ich. Frau Popiol war berühmt, wofür habe ich sie bloß gehalten, wer ist diese Frau, Vivaldi, Violinkonzert a-Moll Opus 3! Die roten Haare flogen, komm mit! Es war *meine* Geige, die das spielte. Ich legte das Gesicht in die Hände – nie wollte ich wieder erwachen, nie wieder etwas anderes hören. Warum habe ich nicht gewußt, wer Frau Popiol ist?

Nach dem Konzert taumelte ich ins Freie. Ich lief um das Konzertgebäude herum. Abend, das erste mal allein unterwegs, irgendwo und irgendwo angekommen. Frau Popiol und ihr Sohn Kurt. Ich lief ihr in die Arme.

– Gabriela! rief Frau Popiol. Kurt, entsetzlich erwachsen geworden, patschte in die Hände.

– Wie hat es dir gefallen? – Frau Popiol strich mir durch das Haar, bewunderte seine Schwärze.

– Ja. – Ich erschrak. Dieses JA, wie willenlos kam es aus meinem Mund, dabei war es diesmal ehrlich gemeint. Ich wollte Frau Popiol begleiten, die berühmte Violinistin, die mein erstes Glück ...

– Geh nach Hause, Gabriela.

Frau Popiol reichte mir die Hand. In der Dunkelheit war ihr Haar schwarz wie meines. Ich wollte Frau Popiol erklären, daß nur *sie* mir helfen kann, daß nur *sie* weiß, wohin mit mir – und der Kuß, erinnere sie sich nicht – nein, ich habe noch keinen Jungen geküßt, und die Musik, erinnern Sie sich nicht mehr? ... Ich hing an ihrem Arm. Kurt wurde fuchtig. Die biegsamen Patschhände schlugen auf mich ein. Frau Popiol befreite sich von meinem Griff.

– Das geht zu weit, Gabriela.

Die Nächte werden kühl, klamm die Caritasdecken. Hosen und Hemd haben Löcher und Gilbstellen. In der Kleiderkammer einen warmen Pullover holen, Lederschuhe. Vorbereiten. Worauf? Leibnitz ist fast stillgelegt. Nur in der Brauerei und im ehemaligen Industriewerk wird noch gearbeitet. Man muß *vor* 18 Uhr in den »Drei Rosen« erscheinen, um noch einen Stehplatz zu ergattern. Semmelweis-Märrie stellt Klunker-Lupo als Abwäscher ein.

– Der is raus aus'm Schneider, sagen die anderen, und Klunker-Lupo spült Gläser wie besessen. In den »Drei Rosen« ist es warm. Nur läßt sich Semmelweis-Märrie nicht auf die »Nacht hindurch« ein.

– Bünn nüsch eure Mama.

Zur Ruhe komme ich nur, wenn ich kurz vor dem Schlafengehen esse. Halbleerer Magen verhindert Einschlafen, dann friere ich trotz doppelter Decke. Der Kanalrhabarber ist verfault, wie braune Därme hängen die Röhren ins Wasser, bis die Strömung sie abreißt. Gut, ein Feuer zu machen. Neben der Brücke, ein ganz kleines, das die Polizei nicht stört, das die Ratten vertreibt. Mitunter denke ich, daß es gut wäre, bei den anderen zu sein. Aber wer sind die anderen? Heruntergekommene, Analphabeten, Penner! Bei *mir* ist es kein Elend, sondern Bewährung. Und trotzdem. Die Decke bis über beide

Ohren ziehen. Der Kanal rauscht. Sterne schittern im Herbsthimmel. Der erste Schnee fällt Anfang Dezember. Über Nacht friert es. Aufwachen, rotblaue Finger und Zehen, die Decken am oberen Teil hart von gefrorenem Atem. Weiterschreiben. Schreib weiter, das hilft. Im Speisesaal der Caritas finde ich ein Eckchen. Für ein paar Stunden. Der Tumult verwirrt mich. Alle gucken sie auf mich, rempeln, witzeln. Alle haben sie Langeweile und eine bierdumpfe Wut. Ist die Caritas geschlossen, gehen wir an die Buden. Drücken uns unter die schmalen Dächer, dicht aneinander gegen den ersten Schnee, Bier nach dem Aufstehen, eine Büchse, zwei Büchsen, drei. Die anderen, sauberen Kunden, verlangen Pommes und Bratwurst, fettes Zeug und auch Bier oder Kaffeeplempe. Ab und zu lassen sie etwas fallen: einen Rest Wurst oder Fritten, halbverbrannt oder nicht durchgebacken; dann ist es ein Spaß, Wettstreit zwischen uns und den Tauben, die auf verkrüppelten Füßchen heranhumpeln, blöde nickend nach dem Abfall picken, das fette Kroppzeug, und wir, weil es warm hier ist, uns gutstellen mit dem Budenbesitzer und immer wieder Bier verlangen und Schwätzchen halten in schlechten Zeiten, denn es ist saukalt. Der erste Schnee ist immer kälter als der letzte, sagen die, die schon ein Jahr überstanden haben und sich nicht mehr waschen, denn das schützt vor Auskühlung, dem gefürchteten plötzlichen Tod, der kommt immer dann, wenn es einem gerade mal wohl ist. Noppe hat es schon erwischt, auch das Mädchen Angschelick und Atze. Wir reiben die Finger aneinander, es kommen neue Menschen hinzu, alle nennen sie sich irgendwie. Mich nennen sie Binka.

Vom Leibnitzer Theaterplatz lief ich Richtung Schillerpark. Den kürzesten Weg nach Hause. In der Dunkelheit sind alle Haare schwarz. Kurt ist ein Idiot. Der Himmel voller Geigen. Das geht zu weit, Gabriela. Sprich nach: Zu weit. Ich lief schneller. Der Park: schwarz, voller Fremdheit. Die erste Nacht ganz für mich allein. Ich durfte ihr nicht nach, sie war berühmt, Maria Elke Popiol, Blues und Vivaldi, der Kuß und Vaters Stimme: Sie ist krank.
– Gib mir dein rotes Haar, sagte ich laut in die Finsternis. Auf einer Parkbank kam ich zur Ruhe und merkte, daß ich die ganze Zeit über schon weinte, leicht und warm, ohne Krampf. Ich schloß die Augen.
Sie kommen von hinten. Einer zerrt mich von der Bank, der andere entreißt mir die Tasche. Im Laub liegend, spüre ich, wie mein Kopf zwischen zwei nackte Beine gepreßt wird. Die Beinklammer schließt sich um meinen Hals. Ich sehe nur Laub und die ausgeleierten Bündchen grauer Silastikstrümpfe. Der mich in der Klammer hält, faßt meine Haare, teilt sie grob in drei Hälften, flicht einen dicken langen Zopf daraus. Noch immer sehe ich nur Laub und Strümpfe, beide Männer stöhnen und röhren wie Tiere. Jetzt kniet sich der andere vor mein Gesicht in das Laub, die Hosen bis zu den Füßen herabgezogen. Ich

sehe die Rute, während der, welcher mich hält, den Zopf schwingt, sausen läßt, hin und her, hoch und runter wie eine Peitsche. Ich schließe die Augen: weißes Laub, alles ist nur weißes Laub, mein Schädel hält den Zopf fest, der geschlagen wird, sagt *weiter! weiter!* Das weiße Laub verbrennt, der Kopf wird nach oben gezogen *Mach die Augen auf!* Alles sehe ich in Blitze getaucht, dann löst sich die Beinklammer, ich liege im weichen herbstlichen Bett. Der mit den Silastikstrümpfen dreht mich auf den Rücken, reißt den Rock an den Nahtstellen auf, spreizt meine Schenkel. *MeineGutemeineLiebemeineSchöne*, flüstert er. Es folgt ein Schmerz bis in die Zopfspitze. Blitze. Der Männerkörper fällt auf mich. Er ist schwer und warm unter dem Hemd. *MeineGutemeineLiebemeineSchöne*. Schlaffes Zucken. Komm schon! ruft der andere, das ist eine *Binka!* – Für Sekunden liege ich frei. Dann faßt der eine meinen linken Arm und der andere ein Messer. Sie schneiden mir ein Kreuz zwischen Hand und Ellenbogen. Der eine sagt: das wollte ich nicht, der andere: Komm endlich! Das ist 'ne Binka!

Ich kroch durch das nachttaufeuchte Laub, den Arm braun von Blut und Dreck, über das Leibnitzer Katzenkopfpflaster kroch ich zur Volkspolizeiwache.

– Ich bin soeben überfallen worden.

– Hinsetzen. Name! Adresse! Alter! Was machst du nachts allein auf der Straße? Konzert? Überfallen? Wo? Wann? Genosse Paffrath, führen Sie Protokoll. Im Park? Zeig her, Was ist das?

– Sie haben es mir eingeschnitten.

– Wer? Wann? Was eingeschnitten? Spinnst du?

– Sie haben gesagt: Binka.

– Genosse Paffrath, warten Sie. *Was* haben Sie gesagt? Binka? Unmöglich. Du lügst uns was vor. Du willst uns verarschen.

– Sie haben ein Messer gehabt, und so haben sie es mir eingeschnitten, und Binka! haben sie gesagt.

– Stop mal, Mädchen. Ist das alles? Was haben die beiden Männer getan. Der Reihe nach!

– Sie haben mich überfallen, drei Männer, im Park, das Messer, Binka haben sie gesagt und mich geschnitten.

– Du willst unseren Staat verleumden. Du lügst. Du hast dir die Wunde selber beigebracht. Wir werden das klären. Genosse Paffrath, schreiben Sie. Selbstverstümmelung.

– Man hat mich überfallen, drei Männer, Binka! haben sie gesagt.

– Wo wohnst du? Vater? Was, Arzt? Na, das trifft sich.

Ich wurde in die Klinik geschafft. Wundversorgung.

– Glatte Schnittführung, die Narbe bleibt. – Der Arzt schneidet den letzten Faden ab, tupft die Wunde sauber.

Sie kamen zu Vater und sagten: Ihre Tochter hat sich in den Arm geschnitten. Die Konsequenzen werden *Sie* tragen müssen. Staatsverleumdung, Herr Doktor von Haßlau. Sie kamen zu Mutter und Samuel und sagten: Ihre Tochter hat sich in den Arm geschnitten, Selbstverstümmelung. Mutter glaubte es nicht, Samuel wies ihnen die Tür. Sie kamen zu Samuel ins

Theater und teilten ihm mit, daß seine Tätigkeit als Schauspieler am Städtischen Theater nicht mehr erwünscht sei. Sie kamen zu Vater und sagten: Die Narbe bleibt so, Ihre Tochter zeigt sie überall herum, die Konsequenzen tragen Sie! Sie kamen zu Frau Schramm in die Küche und fragten, ob sie willens sei, bei dieser Familie länger zu arbeiten. Sie kamen zu Mutter und fragten, ob sie Samuel wiedersehen möchte oder lieber ihre Tochter. Sie kamen in die Schule und fragten Grumert-Thomas, Dreyer-Petra, Lorenz-Katka und all die anderen, was für eine Schülerin ich sei, wie mein Verhalten sei. Sie kamen zu Vater und sagten: Wenn Sie die Narbe ihrer Tochter nicht entfernen, haben Sie bald einen Nachfolger. – Sie kamen zu Mutter und sagten, sie wüßten, was mit ihrem Bruder Georg gewesen sei ... Sie kamen zu Mutter und fanden sie nicht mehr in ihrer Wohnung. Sie kamen zu Vater und fragten: Wo ist Ihre geschiedene Frau? – Sie kamen in die Schule und begleiteten mich nach Hause. Und sagten: ich solle nicht lügen. Du lügst! Sie kamen zu Vater, und Vater nahm mich mit in die Klinik. Keiner seiner Kollegen war bereit, es zu tun. Vater transplantierte ein kreisrundes Stück Oberschenkelhaut auf die Stelle am Arm. Nach der Operation kamen sie noch immer zu Vater, in die Schule, zu Frau Schramm. Und zu mir kamen sie und sagten:

– Wir sehen uns heute nicht das letzte Mal.

– *Du* büsch 'ne Binka! kreischt Klunker-Lupo hinter der Theke. Alle lachen sie, grienen zahnlos, verfroren. Ich schreibe, auf der Heizung hockend, Satz für Satz.

– *Die* kann schreiben! – der uralte Fischerkurt, von bellendem Husten geplagt, röhrt's durch den Kneipendunst.

– Üsch will auch mit in deiner Geschüchte sein!

All dieses Geraunze kann ich abwehren, solange die »Drei Rosen« geöffnet sind, solange es warm und trocken ist. Lieber ersticken als erfrieren. Semmelweis-Märrie nimmt mich in Schutz.

– Die is nüsch ganz sauber, aber harmlos.

Nach Mitternacht schickt sie uns fort. Ohne Erbarmen. Einmal läßt sie Klunker-Lupo hinter der Theke nächtigen. Wir verprügeln ihn am nächsten Tag – immer rein in die fiese Fresse, was Bessres sein woll'n, ha! der kennt sich aus, nüsch mit uns!

Seitdem steht Klunker-Lupo brav mit unter den Budendächern, und nur nachts jobbt er bei Semmelweis-Märrie, was wir, für etliche Runden Bier, gnädig gestatten. Mein neuestes Training heißt: Nachtverkürzung. Dafür am Tag schlafen, im Wartehäuschen oder auf dem Klo der Caritas. Unter meiner Brücke regnet es im Herbst. Ich würde bei lebendigem Leib verschimmeln, bestünde ich weiter auf diesem Schlafplatz. Also mit den anderen zusammentun, obgleich sie das Letzte sind. *Ich* habe meine Mission, *die* ihr Bier.

– Les uns mal was vor, lallen sie, wenn sie das Bier nicht mehr in die Fressen kippen können und es an sich herunterlaufen lassen in gelben stinkenden Strömen. Ich klaue Semmelweis-Märrie einen Kassenblock, und es geht mich nichts an.

Ein paar Tage noch hatte ich Schmerzen an Oberschenkel und Arm, dann war alles verheilt. Die Anzeige gegen Unbekannt wurde nicht aufgenommen, gegen mich wurde ein Ermittlungsverfahren eingeleitet. Die Delegation auf die Erweiterte Oberschule wurde mir verwehrt: Kein Platz mehr, lautete die Erklärung. Wieder sprach Vater in der Schule vor: Man habe seiner Tochter übel mitgespielt, sie sei überfallen worden.
– Beweise?
– Die Narbe am Arm.
– Da ist nichts zu sehen. Leider können wir da nichts machen, Herr Doktor. Außerdem sind Studienplätze vorwiegend Arbeiterkindern vorbehalten.
– Warum?
– Aus Gründen der historischen Gerechtigkeit.
Vater hatte seine Macht verloren. Katka Lorenz hatte eine Idee. Katka war die einzige, die mir glaubte. Als sie hörte, was mir geschehen war, forderte sie Aufklärung, Täterbenennung und Bestrafung der Täter. Diese Worte machten mir angst. Fast glaubte ich schon, daß ich mich wirklich geirrt und, in einem Anfall von Unbeherrschtheit, mir selbst die Verletzung zugefügt und den Rest geträumt hatte. Katka kam und wollte alles aufklären. Unter der Veranda kauernd, die schwarzen Spinnen als Zeugen, schrieb

Katka einen Brief an den Bezirksrat von Leibnitz. Sie schilderte, was geschehen war, bat um Unterstützung.

– So einfach, sagte sie.

Ich beneidete Katka um ihre Reife und ihren Mut. Niemals hätte ich solche Worte zur Verfügung gehabt, diese nebligen müde machenden Begriffe, hinter denen sich etwas verbergen mußte. Dabei war Katka fröhlich und voller Energie und lud einen ganzen Berg Spott auf Lehrer und Mitschüler. Wochen vergingen, Katka bekam keine Antwort.

Sie schwor, sich nach weiter oben zu wenden. Wir waren Schülerinnen der 8. Klasse, und es trennten sich unsere Wege. Zu Beginn des neuen Schuljahres fehlte Katka. In eine andere Schule versetzt, hieß es. Ein andermal: Sie darf auf die Erweiterte Oberschule, um studieren zu können. Arbeiterkinder werden bevorzugt. Ich suchte Katka in der ganzen Stadt. Bei ihr zu Hause stolperte ich mitten in eine Fete von Vater, Mutter, Geschwistern – sie saßen im herrlichen Gerümpel ihrer freien Ordnung, Wust und Fröhlichkeit ... Ich wisse nicht, wo Katka sei?

– Hau ab, Bonzenschnepfe, hier is sie nüsch!

Ich fragte auf der Erweiterten Oberschule.

– Katka Lorenz? Nicht bei uns.

– Sie wird, erklärte Vater, wie deine Mutter und dieser Schauspieler über'n Jordan sein.

– Wo ist der Jordan?

Ich begriff nichts mehr, alle verließen sie mich, einer nach dem anderen, keiner zeigte mir, wo lang es geht und wohin *ich* gehen sollte. Keiner nahm mich mit.

Im Frühjahr zogen wir aus der Villa in eine Zweizimmerwohnung. Frau Schramm war die nächste, die von mir ging. Nur das wachstuchbespannte Kniebrett ließ sie zurück.

– Dein Vater hat es schwer, paß auf ihn auf, Ehlchen.

Das wuchtige Holzmöbel hatte Vater verkauft, das Klavier, die Teppiche. In unsere Villa zogen Leute ein, die Vater *Verbrecher* nannte. Ich wollte wissen, wie sie aussehen, aber um das Grundstück wurde ein Wellblechzaun gezogen, der keinen Einblick mehr zuließ. Manchmal sah ich Männer aus- und eingehen, Geschäftsleute oder was auch immer.

Vater war meistens in der Klinik. Er forschte an einer neuen Varizenoperationstechnik, arbeitete zwölf Stunden am Tag, auch länger. Mitunter schlief er in der Klinik bis zum nächsten Dienst. Die Nachbarn munkelten, er hätte ein Verhältnis mit der Nachtschwester. Kam ich aus der Schule, war ich allein. Ich hatte keine Lust auf Diskotheken, auch nicht auf das kichernde Zusammenstehen meiner Klassenkameradinnen. Mode interessierte mich nicht, und die heimlich beschafften Zeitungen aus dem Westen, die unter den Mädchen umgingen, fand ich langweilig. Ich vermißte Katka und abends, bevor ich einschlief, komponierte ich im Halbtraum Violinkonzerte. Manchmal durchfuhr meinen Körper ein heftiger juckender Schmerz wie der höchste Ton einer Violine. Ich war soweit.

Das Schlimmste war der Nebel. Im Fach Staatsbürgerkunde kam er über mich, über jedes Fach, jedes

Wissen. Er legte sich um meinen Kopf, drückte die Gedanken und Träume. Ständig müde vermochte ich keinem Lehrer zu folgen. Nur abends war der Kopf ganz klar, voller Töne und Entspannung. Ich hörte alle Violin- und sonstigen Konzerte, die ich auf Radiosendern finden konnte. Nahm Lineal und Bleistift – vor dem Spiegel flog der Bogen leicht über das Instrument. CIS! FIS! DIS!

Ich schaffte die 10. Klasse mit Vier. Noch immer stand im Klassenbuch rot und drohend ein I. Faul und versponnen, lautete das Urteil des Klassenlehrers über mich. Nicht unintelligent, aber ...

Die einzige Lehrstelle, die man mir zubilligte, war die der Zerspanungsfacharbeiterin. Als ich Vater den Vertrag zeigte, wurde er wild. Er skandierte das Wort Zerspanungsfacharbeiter wie Blutegel oder Hundebandwurm. Ich zuckte mit den Schultern.

– Na und? Werd ich eben Zer-spa-nungs-fach-ar-beite-rin. Irgendwas *muß* ich ja werden.

– Schande über Schande! hörte ich Vater kommentieren, dann ging er wieder zu seinen Varizen und zur Nachtschwester.

Dicke Schnürstiefel aus den Restbeständen der Nationalen Volksarmee werden in den Kleiderkammern des Roten Kreuzes verteilt. Ich nehme ein Paar gegen den Ersten Schnee, dazu graue Wollsocken, Vliesunterwäsche, eine Russenmütze mit Fell und Ohrenklappen. So ausgerüstet stehe ich an der Pommesbude »Inges Imbiß«, die anderen Kollegen füllen sich

Grog ein. Kaum einer schläft mehr unter der Brücke, kaum einer weiß mehr, wohin. Atze klaut Zigaretten und schafft es, für zwei Tage in den Knast zu kommen. Knast ist gut für einen, der nicht säuft. Für die anderen sind die »Drei Rosen« gut, jedenfalls bis Mitternacht, danach herrscht Entsetzen. Täglich schreibe ich weniger. Ständig klamme Finger, Reizhusten, die Russenmütze drückt auf den Kopf. Nebel überall und das drohende Erwachen. Nur das nicht, nur nicht wieder diese grelle Angst, sich zu erkennen. Am Mittag des 18. Dezembers stoppt ein braunmetallicer viertüriger weißer Opel vor »Inges Imbiß«. Zwei Frauen steigen aus; eine in pelzbesetztem lila Ledermantel, weiße Steghosen, die aubergineblauen Haare streng in Topfform geschnitten. Rouge auf Wangen und Kinn, klirrendes Ohrgehänge. Die andere in sozialalternativem Schwarz gekleidet, große silberne Ringe an allen zehn Fingern, lila Nagellack. Noppe staunt, geht in die Knie und flötet:

– Einmal mit euch bumsen und dann sterben!

Höflich lächelnd heben die Damen die Zähne, kommen näher. Sie haben ein Ziel: Mich. Sofort haben sie mich als einzige *Frau* unter all den Drecksgestalten erkannt, und das ist es, was sie zu sagen haben:

– Dürfen wir Sie interviewen?

Noppe:

– Was woll'n Se?

– Verzeihung, Sie sind doch eine Frau.

– Ja, sage ich.

– Wir kommen von der Zeitung MAMMILIA, Köln & Hamburg. Wir schreiben einen Report über

Frauen in Not, das ist Eva, ich heiße Isolde. Dürfen wir Sie auch fotografieren?

Die lila Ledermantel-Eva reibt, Kälte und Unbehagen signalisierend, ihre Finger, während Isolde, klick-klack, ein Foto nach dem anderen von mir schießt. Sie laden mich ins Hotelcafé ein. Leibnitz' einziges Hotel ist fast leer – und wie ich eintrete in Russenmütze und Soldatenstiefeln, fettige Haare und die Haut grau wie Straßenbitumen, da will man mich hinauswerfen, der junge schnöselhafte Hotelboy, aber Eva und Isolde aus Köln & Hamburg wollen es anders und schaffen Platz für mich. Ihr Rachen speit Parfum Nr. 5 von Chanel, der lila Ledermantel fliegt und die silbernen Siegelringe sagen: Keinen Widerspruch! – Ich erhalte Kaffee und Kuchen, Frühstückstoast für 8,50 Mark, nochmals Kaffee und nochmals Kuchen. Ich darf alles im Hotelcafé, und warm ist es wie im Märchen. Eva und Isolde rücken ein wenig von mir ab, dann merke ich den Grund: Wärme arbeitet an meiner Haut, löst die schwitzende Schutzschicht, setzt Dämpfe frei, Gase, Miasmen. Ich rieche in den Wollpullover hinein.

– Muß mal aufs Klo.

Auf dem spiegelkachelglänzenden Klo des Leibnitzer Hotels wasche ich mich, wo es nur geht. Erwachen naht. Nur nicht panisch werden, Gabriela. Die gute Seife schäumt, im Spiegel sehe ich die graue Maske meinerselbst, hänge das Haar unter den laufenden Wasserhahn, rubbel Seife hinein, wasche, bis es schwarz und duftend aus seiner Brühe herauskommt, es wird abgetrocknet – die Wangen rot und gesund, ich erwache. Wie siehst du aus, Gabriela? Was hast du an? Wo ist diese Russenmütze her? Alles stinkt an dir, du bist abgesackt ins Letzte Loch.

Draußen im Café wartet die Zeitschrift MAMMILIA, das große internationale Frauenmagazin. Es will ein Interview von dir und ein Foto. Ich müßte auch den Pullover waschen, die dreckigen Jeans am besten auf den Müll und diese Stiefel! Mir wird heiß vor Entsetzen. Die lila Eva kommt nach mir sehen: Ich müsse mich nicht schämen, man wisse noch zu wenig über die Not der Frauen im Osten. Aber mit diesem Beitrag in MAMMILIA werde ein Zeichen gesetzt, »Frauen unterm Budendach« soll der Titel heißen. Wie denn mein Name sei.

– Gabriela von Haßlau.

– Fffon?

– Altes anhaltinisches Geschlecht.

– Erzählen Sie, erzählen Sie alles.

Erwachen. Vollends. Aus dem Plastikbeutel, der mein Eigentum birgt, ziehe ich Packpapier, ein zerrissenes Plakat, halbrunde Kirschtüten, Klopapier, Zahlungsblöcke hervor, alles bleistiftbeschrieben.

– Das ist meine Geschichte.

– Sie schreiben?

– Mein Leben.

Eva notiert auf den Schreibblock: Frau schreibt.

– Erzählen Sie weiter!

Ich lege ihnen den ersten Teil meiner Geschichte vor. Ein großer Augenblick.

– Wir werden ihn abdrucken!! jubelt Isolde und knipst und knipst. – Setzen Sie noch einmal Ihre Mütze auf. Nicht lächeln, um Gottes Willen, schauen Sie, wie Sie immer schauen: gekränkt, geknickt, gefoltert. Ja, so ist gut. Und jetzt, als ob Sie frören. Ja! Ja! Und jetzt, als hätten Sie Hunger. Tierischen Hunger, prima! Erwachen. Erwachen. Mir ist heiß. Pullover ausziehen.

– Was machen Sie denn da? Gut so, diese Unterwäsche! Schrecklich, Ja! Ja! Das wird ein Foto! Raffen Sie die Ärmel. Haben Sie Tätowierungen? Nein? Schade, aber hier, was ist das? Hat man Sie verletzt?

– Ich bin eine Binka.

– Sagen Sie das noch mal.

Sie knipsen den runden narbigen Hautflecken. Eva notiert wie besessen.

– Das wird *die* Story, wir bringen Sie groß 'raus!

Kaffee, Kuchen, noch einen Toast.

– Essen Sie, Frau von Haßlau.

Vor Entdeckerfreude glühend, vergessen die Frauen ihren Ekel, klopfen auf den beschriebenen Papierstapel.

– MAMMILIA holt Sie aus dem Dreck!

Heiß' ich Binka? Heiß' ich Ehlchen? Heiß ich vielleicht Gabriela? Gabriela von Haßlau. Bin satt, sauber, mir geht es gut. Noch besitze ich gar nichts, schon trete ich anders das Leibnitzer Katzenkopfpflaster. Vornehm, stolz, in schwarzen schweren Soldatenstiefeln. Alles wird anders werden. Am Abend in den »Drei Rosen« schmeiße ich eine Runde. Noch eine und noch eine. Auch eine für Klunker-Lupo hinterm Tresen, für Semmelweis-Märrie. Der Gläserwäscher bekommt einen Trunk. Haha, trinkt, schlürft, säuft.

– Der macht mir's Gescherre kaputt, ruft Semmel-weis-Märrie.

– Noch einen. Heut zahle *ich*.

– Hat die Gold geschissen?

– 'n Rad ab hatse.

Klunker-Lupo kippt den dreiundzwanzigsten Brau-nen, klappt zusammen. Der Kopf mit dem Loch in der Stirn schlägt gegen den Tresen, überall Blut. Auch ich bin wieder im Nebel.

– Nu wäschst *du* ab, bellt Semmelweis-Märrie, nach-dem Klunker-Lupo von der Rettung abgeholt wurde. Ich stehe hinterm Tresen der »Drei Rosen«, spüle Gläser. Wachst du oder schläfst du, es ist alles nicht wahr.

Während des Abschlußfestes der 10a flog ich davon. Vater hatte zu diesem Zweck ein leichtes silberfädi-ges Kleid gekauft.

– Du mußt langsam eine Dame werden, Gabriela. Des Kleides Vorteil: Es ließ die stundenlange Rede des Direktors an sich herabfließen wie Schmierseife.

– Mit dem heutigen Tag, tönte der Direktor, sind wir eingetreten in unsere sozialistische Wirklichkeit, in die Produktion, in ein Leben des Friedens, der Soli-darität, der Herausforderung. – Er redete unser Kön-nen herbei, einen standhaften Menschen, zu allem bereit. Und gegen die, wußte der Direktor zu sagen, gegen die, welche uns Feindliches wollen, ist die Zeit gekommen zu rüsten.

Der erste Sekt meines Lebens. Vater stieß mit Apfelsaft an. Er blieb eine halbe Stunde. Während der Rede hatte sich sein Gesicht verfinstert. Was mich müde machte, brachte Vater auf. Er ging zum Dienst, und ich tanzte im Silberfadenkleid mit Grumert-Thomas und und und ... dann sprang ich aus dem Fenster im ersten Stockwerk, tanzte über den Schulhof, die Straße entlang, das Zeugnis flatterte, ein Wisch.

In diesem Sommer begann ich zu schreiben. Kurze freche Geschichten, Böse-Mädchen-Streiche, Träume von großen Verführungen. Vater las sie nach dem Dienst, der Schnurrbart zuckte vergnügt.

– Was ist los mit dir.

– Hausaufsätze, sagte ich.

– Die Schule ist vorbei.

– Deshalb.

Vater fühlte, ob ich Fieber habe. Die feinfingrige Chirurgenhand strich über Stirn und Wangen, Äther, Jodoform, Varizen. Ich hatte den Eindruck, Vater sei kleiner geworden, die weiße Größe geschrumpft, der einst schwarze Schnurrbart zitterte in fadem Grau. Seit wir nicht mehr die Villa bewohnten, war alles viel kleiner. Den ganzen Sommer verbrachte ich in meinem Zimmer. Weggetreten aus der Zeit, duselig, ewig müde, kraftlos.

– Wir fahren an die Ostsee, beschloß Vater.

Das Meer belebte mich nicht im geringsten. Vater unternahm lange einsame Strandgänge, auf denen er fluchte, grimmig vor sich hinbrabbelte. Ich fragte ihn nach der Nachtschwester, worauf er mir über den Mund fuhr.

– Das sind *meine* Sorgen.

Am ersten September begann meine Lehre als Zerspanungsfacharbeiterin im Leibnitzer Industriewerk. In der Stadt wurde es kurz I-Werk genannt; war spezialisiert auf die Herstellung von Hydraulikpumpen und Fräsmaschinenteile. Der erste Lehrtag bestand aus einhundert mal fünf Kilogramm Eisen. Man steckte mich in eine blaue Latzhose, Kopftuch ums Haar, feste schwarze Lederschuhe. In der Maschinenhalle stand die Luft, ich wurde hineingeschoben. Damit du weißt, wo du hingehörst. Die Ausbildung begann. Lehrmeister Kulisch geleitete mich zu einem Stapel Eisenplatten, drückte mir eine Feile in die Hand, wies mir den Schraubstock zu.
– Jede Kante im Winkel von 30 Grad entgraten, Ekken runden, wennde fertig büst, meldste dich bei mir.
Jede der Eisenplatten wog fünf Kilogramm, Damengewicht, nannte es Kulisch. Ich wuchtete die Platte von der Palette nach oben, drückte sie gegen den Latz, ging drei Schritte zum Schraubstock, spannte sie in das Stahlfutter, zu locker, die Platte rutschte, gerade rechtzeitig zog ich die Füße zurück, das Werkstück flog scheppernd wie eine Glocke zu Boden, die Arbeiter an den Maschinen drehten ihre öligen Gesichter in meine Richtung, grienten. Von vorn, Gabriela, paß auf. Feste einspannen, nicht zu hoch, nicht zu tief. Feile ansetzen und los. Das Werkzeug raffelte über das Metall. Ich fror bei diesem Geräusch, schüttelte mich wie ein Hund. Mach schon! Zehn Minuten und noch keinen Forz geschafft. Acht Gratseiten besitzt eine Platte! Feile nicht zu schräg halten, wie blöd bist'n, Mädel? Die feinen Feilspäne

staubten mich ein. Nach drei Plattenbearbeitungen hatte ich Blasen an den Händen, Schulter- und Rükkenschmerzen. Noch 97 Stück, Gabriela, dann 30 Minuten Mittagspause. Die Feile wurde heiß und stumpf. Vergaß ich eine Plattenseite zu entgraten, mußte wiederholt werden. Du entgratest die ganzen nächsten vierzehn Tage! Zur Mittagszeit hatte ich gerade sechs Platten geschafft. Tief saßen Späne und Öl in den Handflächen, und als die Maschinen abgeschaltet wurden, fiel mir eine Lärmglocke vom Schädel. Zum Reinigen gab es ein Klümpchen Waschpaste aus Sand und Mandelkleie. Wie die anderen rieb ich mir damit die Hände ein – rot und wundgeschwollen. Mehr war nicht zu schaffen. Kulisch:

– Wer bist *du* denn?

Fünf Kilogramm Eisen, hochstemmen, Latzdrücken, einspannen, zuschrauben, Feile, ansetzen, hoch und runter, 30-Grad-Winkel, Schraubstock lockern, Platte festhalten, Platte drehen, festziehen, Feile, hoch runter hoch runter, nur Ficken ist schöner, andrehen, auswechseln, Platte anlatzen, ablegen, Kontrolle mit dem bloßen Fingerkuppen, fünf Kilogramm Eisen, hochstemmen, einspannen, andersherum, Nasewischen, Eisen stinkt, schlecht Entgratetes schneidet ins Fleisch, fünf Kilogramm Damengewicht, Arme wie Schwergewichtler, ringsherum Bohrerkreischen, Fräsenkreischen, Schleiferkreischen, entgraten mit der Hand, hoch runter, der Plattenstapel schrumpft, der andere wächst, Feilen braucht keine Kraft, sondern Technik, woher nehmen und nicht dran verrecken, Rundfeile, Flachfeile, Lochfeile, was ist besser, besser ist aufzuhören, alles hinzuschmeißen, das Zeugnis lautet *Vier,* schwach bestanden, also weiterfeilen, fünf Kilogramm, nicht umgucken, nicht hochgucken, nach acht Stunden weiß ich nicht mehr, wer ich bin. Ich heiße Gabriela von Haßlau. Mein Vater ist Obermedizinalrat, erster Venenchirurg der Leibnitzer Klinik. I wie Intelligenz, I wie I-Werk. Ich tauche ins heiße Badewasser, versuche, den Körper zu spüren: Das bist *Du,* Gabriela von Haßlau. Augen schließen, der Kopf feilt weiter, feilt feilt Metall auf Metall, Wasser weicher Badeschaum. Untertauchen, Baden in *Ba-Du-San.* Das ist dein Leben, dumme Binka. Morgen früh 6.00 Uhr an der Werkbank. Abermals einhundert mal fünf Kilogramm. Wo sind die anderen? Es gibt keine größere Entfernung zwischen dem Violinkonzert a-Moll und einer zu entgratenden Eisenplatte. So redete ich vor mich hin, die Kruste Arbeit weichte von der Haut, in *Ba-Du-San* versprach die Welt erträglich zu werden. Am nächsten Tag erwarteten mich einhundert von mir entgratete Eisenplatten. Damit du weißt, wo du hingehörst. Paß auf. Das ist eine elektrische Bohrmaschine. So und so machen wir es. Zuerst den Körner an dieser Stelle ansetzen, Holzhammer drauf – päng! erster Arbeitsgang. Zweihundert mal eine kleine keglige Vertiefung schlagen, jede Platte erhält zwei Löcher. Päng! Der Körner sprang von der Platte auf den Boden. Klirr. Füße rechtzeitig wegziehen. Das hier nennen wir Bohrfutter. Sprich nach, Gabriela, Bohr-fut-ter! Und so öffnen und schließen wir es. Der Bohrfutterschlüssel fiel zu Boden, die Werkstücke fielen, ich fiel zu Boden, meine ganze Kraft. Du bist unbegabt! Kulisch spannte eine Platte in die Maschine, Hauptschalter an, paß auf, Gabriela. Langsam führte er den Bohrer nach unten, er muß die gekörnte Stelle genau treffen, sonst bricht er, langsam anbohren, sofort wieder nach oben gehen, das Ganze einpinseln mit Bohrmilch, sonst raucht's, noch einmal nach unten, langsam, mäßige Kraft, wenn du durch bist, merkst du's.

Diese Maschine war ein Monster. In zehn Minuten brachen mir zwei Bohrer ab, setzte ich vier Löcher *neben* die Markierung. Um mich herum fielen Späne aller Art; kleine fettige Eisenspäne, dünne Spiralen aus Aluminium, runde lockige aus Blaustahl, bunt flimmernde Kunstwerke, Abfall, Dreck. Auch ich machte Späne: dumpfe, die, berührte man sie, zerbrachen. Späne zum Fortkehren, Spänebrei aus Bohrmilch, Staub und Blut. Ich sah schwarz und klappte zusammen. Vor einer Ohnmacht: Hauptschalter aus! donnerte Kulisch. Und: Man sollte uns keine Weiber als Lehrlinge schicken. Nach der Ohnmacht gab es Theorie. Wir Lehrlinge wurden mittels eines Dia-Ton-Vortrages über Arbeitsschutz belehrt. Feste Schuhe, dick wie Militärstiefel, ansonsten – siehe Dia mit zerquetschten Füßen. Kein Schmuck, keine Ringe bei der Arbeit, ansonsten – siehe abgerissene Finger, Ohren, erdrosselten Hals. Haare immer unter Mütze oder Kopftuch, ansonsten – siehe von Bohrmaschine skalpierten Arbeiter. Die naturalistischen Fotos bescherten mir eine zweite Ohnmacht. Den Rest des Tages verbrachte ich im Frauenruheraum des I-Werkes, wo mich eine Sanitäterin mit Kamillentee versorgte.

Als ich am dritten Tag an die Fräsmaschine, die Kulisch exakt Waagerechtstoßmaschine nannte, geführt wurde, brachte ich es nicht mal bis zum zweiten Arbeitsgang. Zwar spannte ich eine der von mir entgrateten und gebohrten Eisenplatten in die Maschine, dann aber verschwamm alles vor Augen. Ich gab Saft, der Fräser begann sich zu drehen, die Eisenplatte schob sich voran, alles war falsch bemessen – die Schneide krachte gegen die Platte, verkantete sich, ein Knall, die Maschine stand.
– Schon wieder in Klump geritten! Kulisch brüllte. Ich entzog mich seinem Griff, rannte aus der Halle. Finstere Treppen hinab, finstere rote Ziegel, braune Kacheln, einhundert Türen, einhundert Hallen, kein Ausgang. Grüne Pfeile, Warenlager, Werkzeugausgabe, erste Halle, zweite, dritte, Isolierung, Pumpenhalle, Lackiererei, kein Ausgang, Zutritt verboten, Vorsicht Explosionsgefahr, kein Licht, eine Wandzeitung Bestenarbeiter, Muff, Mief, Notausgang. Ich, Gabriela von Haßlau, Lehrling im 1. Lehrjahr Zerspanungsfacharbeiterin, stand, in Latzhosen und Arbeitsschuhen, im Freien am Hinterausgang des Leibnitzer I-Werkes. Hier floß der Kanal. Goldrute blühte am Ufer und ein Röhrichtgewächs, das aussah wie riesiger Rhabarber. An dieser Stelle floß der Kanal braun. Was das I-Werk hier einließ, verdünnte ein paar Kilometer weiter die Wollfärberei mit Farbe. Ich stand auf einem der großen Betonrohre, die wie Kloakenöffnungen aus gewaltigen Tierleibern herausragten, und starrte auf dicke Brühe Abwasser. Bohrmilch, Späne, Blut konzentrierte es, auch

Küchenabfälle und Scheiße. Alles hinein in den Kanal, der rauschte und zwang sich durch sein steiner-
nes Bett. Sonne, hinter meinem Rücken röhrte das
Werk. Ich wollte nicht mehr. Machte nicht mehr mit.
Da hatte er mich. Kulisch packte von hinten die Ho-
senträger, ich rutschte aus, glitt den Uferhang zum
Kanal hinunter, Kulisch, seiner Beute unsicher,
rutschte hinterher.
– Was ist los, Gabriela.
– Finger weg!
Kulisch drohte, mich vor versammelter Mannschaft
strammstehen zu lassen. Aber natürlich könnte ich
mich *ihm* auch anvertrauen. Er sei kein Unmensch.
Ich riß mich los, rammte Kulisch das rechte Knie in
die Hüfte. Der Lehrmeister stürzte und fiel in den
Kanal. Er kroch am anderen Ufer wieder heraus,
stank, triefte. Ich rannte, was meine Kraft hergab.
Kurz vor der Wollfärberei wurde ich geschnappt.
Zwei Männer hakten mich unter.
– Guten Tag, ich heiße Queck, sagte der eine und
der andere:
– Macht nichts.
Sie führten mich nach Hause.
– Zieh dich um, dann komm mit.
Ich tat es ohne Widerstand, nahm Abschied von mei-
nem Zimmer, von der Welt. Die Männer setzten mich
in einen schwarzen Wolga. Queck saß hinten neben
mir und stupste mich in die Rippen.
– So hübsch und schon so ungezogen.
Dabei lachte er und wischte sich über die Glatze.
Er hatte einen Kugelbauch wie der Fernsehkobold

Pittiplatsch und trug eine goldene Frauenarmbanduhr. Ich beschloß, kein Wort zu sagen und die Angst auszuknipsen, gleich der Bohrmaschine. Wer waren die überhaupt. Wir fuhren durch ganz Leibnitz. Queck schwatzte von seiner Ausbildungszeit: Koch habe er gelernt, haha, war auch nix Rechtes, und er verstünde mich schon, haha, obwohl er immer noch kochen könne, haha, man sieht's dir an, sagte der andere.

Semmelweis-Märrie ist es zufrieden.
– Bei dir is zwar'n Ding locker, aber fürs Abwaschen reicht's.
Semmelweis-Märrie zahlt mir 800 im Monat, ich weiß nichts mit diesem Gewinn anzufangen. Alles überstürzt sich: Die Zeitschrift MAMMILIA, meine Geschichte in Fortsetzungen und nun – eine Arbeit. Eine feste gutbezahlte Arbeit. Ich spüle Gläser, als müsse ich ein Leben wettmachen. Drei Tage lang, vier. Dann habe ich es satt. Bekomme eine Nagelbettentzündung am Daumen und Rückenschmerzen. Täglich werden die »Drei Rosen« voller, die Gestalten drängeln sich, finstere grummelnde Typen ... manche stehen so da, bestellen nichts, wärmen sich nur auf. Spät nachts muß ich sie alle hinauskehren; denn das ist kein Asyl sondern eine Restauration. Ich kehre sie vor die Tür in den Schnee. Sie tappen im knirschenden Weiß davon, jeder in seine Höhle, in irgendein erdwarmes Leibnitzer Loch, um am nächsten Abend wieder hier zu sein und aufzutauen, Frost, Müdigkeit, Durst auszu-

spucken mir ins Gesicht, denn *ich* habe es geschafft, bin raus aus'm Schlamassel.

Schlafe jetzt in der Seifenkammer. Semmelweis-Märrie hat es mürrisch gestattet.

– Kümmer' dich um was Richtiges, Schlampe, sagt sie und rückt Leitern und Wischeimer zur Seite, um Platz zu machen. Die Seifenkammer duftet, in der ersten Nacht kann ich nicht einschlafen vor lauter Ausdünstungen: Ajax und Schmierseife, Feueranzünder und Spülmittel. Aber warm ist es und einsam. Wenn ihr wüßtet!

Am nächsten Tag steht der Hauptkommissar Paffrath in den »Drei Rosen«, lehnt den dicken Bauch gegen den Tresen und verlangt Gabriela von Haßlau zu sprechen.

– Das bin ich.

Die Drei Rosen halten den Atem an. Ein Bulle um die Zeit heißt nichts Gutes. Man ist auf Randale gefaßt, Semmelweis-Märries kirschroter Mund flötet:

– Frau von Haßlau ist offiziell bei mir angestellt, alles rechtens mit'm Finanzampt, Herr Wachtmeister.

Pfaffrath kennt seine Hasen und kümmert sich nicht um die Witze, aber dem einen muß er schon nachgehen. Er legt etwas auf den Tresen, bunt, schön, ein Magazin, das Titelfoto zeigt eine graugesichtige Frau in Russenmütze, große Schatten um die Augen retuschiert, auch etwas wie Pockennarben auf Wangen und Stirn, schlecht verheilte Schnittwunden. Unterschrift in gelben fetten Lettern: **Leibnitzer Dichterin fristet Leben am Kanal.** Tatsachenbericht und Erstveröffentlichung ihrer Lebensgeschichte.

– Sind *Sie* das? fragt Paffrath.

Die Drei Rosen glotzen, wie sie ihr Leben nie ge-
glotzt haben.

– Die Binka is durchgeknallt, wußten wir's doch.

– Ja, das bin ich.

Siehe: Der Bulle lächelt! Haut nicht zu, sondern lächelt einen ganzen Topf voll Schmalz, die Fischlippen
schräg nach oben verziehend.

– Schämen Sie sich nicht, so etwas zuzulassen?

– Was meinen?

Die Drei Rosen pissen vor Lachen, Bier schwappt
über Lippen und Bäuche. Paffrath wechselt das
Standbein und fragt, ob man mal unter vier Augen
. . . es ginge schließlich um die Stadt Leibnitz, und er
sei nicht gekommen, um Vorwürfe zu machen, sondern . . .

– Sondern?

Semmelweis-Märrie stellt mich vom Dienst frei.

– Schaff die grüne Pfeife hier raus un glaub nüsch,
du bis was Bessres!

– Haben Sie keine Wohnung?

– Doch, hier.

– In der Kneipe?

– Ja.

– Also stimmt der Artikel!

Schweigend laufen wir durch den Schnee. Vorbei
an stillgelegten Fabriken, schwarzen Häusern, über
die Grüne Brücke und die Sonntagsbrücke. Weiter
durch leergewohnte Straßen, über Plätze, schöner
Glitzer, Jahrhundertwinter. Etwas außerhalb meine
Brücke.

– Hier habe ich gewohnt.

Der Polizist lacht.

– Jetzt übertreiben Sie aber!

Wir bleiben stehen, lehnen uns über das Geländer.
Unten rauscht der Kanal, von den Uferhängen hängt
Schnee über, große weiße Ballen zaubrischen Zuk-
kers. Auch das Mooshäuschen ist eingeschneit.

– Wissen Sie, wer darin wohnt?

– Streusand. – Paffrath zündet sich eine Zigarette an,
gibt mir auch eine. Schweigend rauchen.

– Warum schütteln Sie den Kopf, Frau von Haßlau?

– Weil es nicht wahr ist.

– Sie haben die Geschichte erfunden.

– Nein.

Ich stehe mit einem Bullen auf meiner Brücke und
quatsche.

– In der Tat, das ist seltsam, wissen Sie was?

– Jetzt geht's auf die Wache.

– Nein. – Paffraths behandschuhte Finger rollen die
neueste Nummer der MAMMILIA zu einer Röhre
und schlagen sie aufs Brückengeländer.

– Sie sehen ganz anders aus als auf dem Foto.

Ich schließe die Augen, lasse den Winter schneien.
Und den Hauptkommissar neben mir stehen, rauchen, palavern. Aufwachen und wissen: Es ist Zeit
weiterzuschreiben.

– Wohin wollen Sie jetzt?

– Zurück in die »Drei Rosen«.

– Kann ich Sie morgen wiedersehen?

– Ein Bulle fordert, er fragt nicht.

– Außer Dienst, fragt er.

– Was haben Sie vor?

– Gute Nacht, sagt Paffrath, gibt Pfötchen, geht seiner Wege.

Die Wohnung, in welche Queck und sein Fahrer mich führten, befand sich im Leibnitzer Neubaugebiet »Fritz Heppelt«, benannt nach dem antifaschistischen Widerstandskämpfer Heppelt. Erdgeschoß, zwei winzige Zimmer, überheizt. Das eine Zimmer verschlossen, im anderen plazierte man mich auf den Sessel einer durchgesessenen teddygelben Polstergarnitur. Der Sessel hatte Rollen, wo ich saß, war der parkettimitierte Bodenbelag durchgerollt, zerschlissen. Queck ließ sich schwer atmend mir gegenüber auf das Sofa fallen. Der Pittibauch sackte ins Polster.

– Huch! pfiff es aus ihm heraus.

An den Wänden Leiterregale mit Büchern und Nippes: ein lehmfarbenes Reh, dickes böhmisches Glas, der Berliner Fernsehturm aus Plaste. Ganz oben eine verstaubte saitenlose Violine, die ich irritiert betrachtete.

– Von einer berüüüühmten Fürtoosin gespielt, prahlte der Pitti, winkte den Fahrer heran und flüsterte versöhnlerisch:

– Koch 'nen Starken, Manfred.

Manfred verschwand in der winzigen Küche, daraufhin gurgelte die Kaffeemaschine, und Queck setzte die Einleitung fort. Er schaffte Vertrauen: Ich solle mich nicht wundern, keine Angst haben. Es hätten schon viele hiergesessen, und ich wisse doch, unsere

Republik biete viele Möglichkeiten, außerdem, und das sei die Hauptsache, weswegen ich auf diesem schönen Sessel sitze: Man wisse, ich schreibe Geschichten, Hausaufsätze.

Ich zuckte zusammen.

– Woher wissen Sie?

Queck winkte freundlich ab. Manfred servierte Kaffee in gelben waffelgemusterten Steinguttassen, riß eine Packung Hansa-Butterkeks auf, verteilte das Gebäck auf einem Teller. Er setzte sich neben Queck, nickte aufmunternd und forderte zuzulangen. Manfred überragte Queck um Kopfeslänge, er hatte ein glattes, kindliches Gesicht. Ich fragte mich, ob ihm denn ein Bart wüchse. Ich schwitzte und ließ Quecks Rede über mich ergehen.

– Wir wissen, Gabriela, Ihnen ist einiges passiert. Dumme Geschichte sozusagen.

– Mir macht Feilen nun mal keinen Spaß.

– Können wir verstehen. Aber wir meinen das andere: Ihren Vater, Ihre Mutter, den Schauspieler Samuel, Ihren gewesenen Onkel Schorsch, nicht zu vergessen Katka Lorenz, Ihre Freundin, nicht wahr? Auch nicht zu vergessen: Ihr komischer Einfall, sich in den Arm zu schnitzen.

– Ich bin überfallen worden.

– Das kennen wir, das haben Sie uns schon gesagt. Aber davon wollen wir nicht mehr reden.

Queck schlürfte Kaffee und biß in den prasseltrockenen Keks. Schweiß glasierte Quecks dickes Gesicht, indessen Manfred ungerührt zuhörte, ab und an nickte.

– Also nicht zu vergessen, also, das Ding mit dem Lehrmeister, naja, also, haha haha ...

Queck wischte meine Vergangenheit mit einer krümeligen Geste vom Tisch. Ich ergänzte, triumphierend, weil ich zu ergänzen hatte:

– Nicht zu vergessen, Frau Popiol, meine Lehrerin.

Queck ratlos. Manfred schulterzuckend.

– Kennen wir nicht.

Leichte Übelkeit überkam mich wie ein Hungergefühl. Einem Dackel ähnlich lag die Geige auf der oberen Regalreihe. Was war gewesen?

Manfred öffnete das Fenster. Draußen auf dem Wäscheplatz sprangen Kinder zwischen Laken und Bettbezügen.

– Ein Jahrhundertsommer! seufzte Queck.

Zwei Stunden schon saßen wir eingesunken in der gelben Sesselgarnitur. Meine Gedanken schweiften ab, die Wäsche brachte frischen Wind, Manfred klopfte auf Quecks Damenarmbanduhr.

– Zur Sache, Gabriela.

Halb war ich eingeschlafen, als Queck sich mühsam aus dem Polster stemmte. Wie lange er geredet hatte, war mir unklar. Ich wollte nach Hause. War frei. Nie wieder zerspanen.

– Nie wieder, bestätigte Queck.

Sie luden mich in den Wolga und fuhren einen anderen Weg, als den wir gekommen waren, nach Hause. Noch am selben Abend verabschiedete sich Vater von mir: Er werde für ein paar Tage zu einem Chirurgischen Kongreß fahren. Vater küßte mich, streichelte mein Haar. Er ließ mir Geld.

– Du bist groß genug, Gabriela.

Nach vier Wochen erhielt ich eine Postkarte mit dem Bamberger Reiter. Er habe nicht anders gekonnt, stand darauf. Ich zerriß die Karte. Es gab keinen, dem ich sie zeigen konnte. Das grüne Wischbrett unter den Knien, rutschte ich über Badkacheln und Küchenlinoleum. Schrubbte, wischte, bohnerte, was an Vaters Partikelchen noch da war. Ich nahm alle Gardinen vom Fenster, ließ Wasser in die Badewanne, weichte die Gardinen ein. Die entstandene dunkle Lauge spornte mich an: Tischdecken, Handtücher, Bettvorleger –, alles wurde einer großen Wäsche unterzogen, ich stampfte, spülte, wrang, bis ich, herzrasend, in tiefen Schlaf fiel.

Am nächsten Tag weckte mich Queck. Er hatte vom Bamberger Reiter gewußt.

Kulturabteilung Leibnitzer Industriewerk. Mein erstes Einsatzgebiet. Keine Späne mehr, kein Metallgestank – ein Schreibtisch aus gelbem Sprelacard, Telephon, Aktenordner. Ich wußte nicht, womit ich betraut war, saß herum und tat erstmal nichts. Drei Tage lang nichts tun, am Morgen erscheinen, mittags Kantinenessen, 16 Uhr Feierabend. Die beiden Mitarbeiterinnen der Abteilung schnitten mich. Kein Wort fiel. Sie setzten sich mit dem Rücken zu mir, wühlten in Papieren und bearbeiteten Urlaubsanträge der Werktätigen. Auch fiel zwischen beiden kaum ein Wort, allenfalls tauschte man Telephonnummern aus, sagte Worte wie *Bettenbelegung* und *Gewerkschaft*. Nach drei Tagen holte mich Queck vom Betrieb ab: Was hast du vorzuweisen.

– Nichts.

Quecks gemütlicher Pittibauch spannte sich drohend. Du hast doch Talent, mein Gott, Gabriela, du würdest uns einen großen Gefallen tun.

Ich tat ihm den Gefallen, schlich beiden Kulturarbeiterinnen auf die Toilette nach. Dort pafften sie lange Duett-Zigaretten, und im Flüsterton hörte ich wieder die Worte Bettenbelegung und Gewerkschaft. Mehr verstand ich trotz aller Anstrengung nicht. Ich begab mich in den Frauenruheraum, der meistens leer stand und den Queck mir als *meinen* Ort zugewiesen hatte. Ich schrieb einen Hausaufsatz über Bettenbelegung und Gewerkschaft, flocht Beobachtungen wie Flüsterton und Duett-Zigaretten in meine Prosa und beklagte die heimliche Raucherei. Nach dem Verfassen dieser Zeilen legte ich mich zur Ruhe, schlief. Die Woche war noch nicht herum und ich aus dem Industriewerk erneut entlassen. Queck und Manfred fuhren mich in die Freiluftgaststätte zur Rennbahn, spendierten Bier, redeten auf mich ein. Sie begleiteten mich, in ihrer Mitte, durch den Schillerpark, immer um den Goldfischbrunnen herum, Gabriela, Gabriela, du kannst schreiben, wir wissen es. Sie kutschierten mich dorthin und dorthin, über Brücken, durch Restaurants, sie hielten an der KABINETT-MÜHLE. Das war der Leibnitzer Künstlerkeller. Sie wußten es, gaben mir Instruktionen. Ich hörte ihnen zu, vergaß sofort – Aufwachen war das Schlimmste! Queck streichelte den Bauch.

– Quatschplatsch! lachte er, und Manfred.

– Du heißt nicht mehr Gabriela, du heißest ...

Sie ließen mich los. Sie standen vor meiner Tür. Ich wartete auf eine Karte vom Bamberger Reiter.

Es kam ein Lohnstreifen. Wofür? dachte ich.

Gardinen, Handtücher, Teppiche waren gewaschen. Seitdem tat ich nichts mehr. Heiß' ich Binka? Heiß' ich Ehlchen? Die Nachbarsleute tuschelten hinter mir her. Ich schrieb und schrieb. Verrückte unwirkliche Geschichten. Voller Fehler, voller Stolz. Queck trat ein, brachte Zeit, machte Mut. Wofür? Wirst sehen. Keiner geht verloren. Wen soll ich wiederfinden? Nur nicht aufwachen. Aufwachen war das Schlimmste.

Eine Woche lang muß ich mit Gläserspülen aussetzen. Die Daumennagelentzündung schmerzt, das Nagelbett eitert. Semmelweis-Märrie moussiert:

– 'n Schloß is das hier aber nüsch!

Ich spüle einhändig. Die Kunden atmen den Winter aus, nur Rampen-Pauls Zigarette spendet einen Funken Wärme. Alle scharen sich um sie herum, blaugefroren oder -geschlagen, in dicken zerfetzten Mänteln, stoppelbärtig. Leibnitz spuckt seine Leute aus. Der Kanal gefriert an den Rändern, und Semmelweis-Märrie hält die »Drei Rosen« ein halbes Stündchen länger offen, als sie muß. Morgens halb zwei macht sie Feierabend, stapft nach Hause in ihre Ofenwohnung, während ich den Salon von Dreck und Schneematsch säubere und Noppe und Angschelick hinauskehre; Fenster öffne, damit der Dunst in die klirrende Nacht hinausfährt, eine Wolke schlechten Atems.

Hauptkommissar Paffrath hat Nachtdienst. Er schaut vorbei, wenn der letzte Gast außer Sicht ist. Ich sperre die Hintertür auf, und der Kommissar sagt:
– 'n Ahmd.
Semmelweis-Märrie verbietet, daß ich nachts Kohlen nachlege, Paffrath erklärt es für eine Sauerei, es nicht zu tun. Ich hinter dem Tresen, Paffrath allein im Salon, bestellt heißen Tee.
– Man redet von Ihnen in der Stadt.
– Wird Zeit, daß ich hier rauskomme.
– Ja.
Schweigen. Der heiße Tee wärmt das ganze Haus. Paffrath schnorchelt an einer Zigarette. Hat die Mütze abgenommen, das dünne Haar steht zitternd nach oben.
– Babyhaar, sage ich, lache, kichere, halte mir den Bauch vor so viel Übermut. Paffrath wuschelt die seidenfeine Tolle.
– Ja, Babyhaar, doch drunter steckt ein Mann!
Das Gelächter füllt die »Drei Rosen«. Ich komme hinter dem Tresen hervor, rücke sinnlos die drei Stehtische, putze den Fenstersims. Paffrath will wissen, wie ich weiterschreibe. Er verfolge den Abdruck in der MAMMILIA. Ich gebe Paffrath Tee und Feuer für die Zigarette.
– Geheimnis!
– Auch gut.
Paffrath glättet das Babyhaar, setzt die Dienstmütze auf, tippt an den Schirm.
– Komm' ich also morgen wieder vorbei.

KABINETTMÜHLE. Als ich sie betrat, hieß ich Binka. Wußte nur, daß ich geladen war, herzlich, zu dieser bahnbrechenden Kunstveranstaltung Leibnitzer Künstler. Geh hin, hatte Queck gesagt, lies, was du geschrieben hast. Jeder wird zeigen, was er kann. Bis unter die Augdeckel klopfte das Herz, Stolz und Angst. Ich drehte das dünne graue bleistiftbeschriebene Papier mit meinen Geschichten in den Händen, übte vor dem Spiegel laut lesen und flocht einen goldenen Gummi ins Haar. Das war *ich*. Eine angehende Dichterin. Ich vergaß, was Queck von mir wollte, sofort, als ich die Treppe zur KABINETTMÜHLE hinabstieg.

Wooling. Halbdämmer. Durch das Lachen drang lauter fremdes Lachen und Hallo! Die meisten waren in schwarzen Knitterstoff gekleidet, Nesseltuch und Leinen. Sie hatten Bänder um die Stirn gelegt, silberne Ringe und Schmuck aus Hühnergöttern und Muscheln. Sie waren langhaarig und igelkurz geschnitten, trugen weite lässige Hemden und knallenge Hosen, schwarzlackierte Fingernägel und handgewebte Tücher. Ich schämte mich meiner gewöhnlichen Cordhose und der biederen Dederonbluse. Schämte mich so, daß ich zurückgehen wollte, doch Quecks Koboldstimme saß mir im Nacken:

– Deine letzte Chance, Mädchen.

Wooling. Ließ mich hineinstoßen. 21 Uhr sollte *mein* Auftritt sein. Hallo! Ich grüßte, die ich nicht kannte.

– Hallo, wer bist du.

– Gabriela von Haßlau.

– Gehört der Name zum Programm?

Ich flüchtete an die Wand. Wie sollte ich hier bestehen im Gelächter im Geflüster in dieser Lust, etwas anderes zu zeigen. An der Wand entlang tasten und so tun, als gehöre man dazu. Wodkacola. Vielleicht hilft's. Überall war etwas aufgebaut: Tische mit Töpferwaren, Bücherstände, Bildergalerien. Ich bewunderte den ganzen Zauber. Musik. Auf der Bühne, die in der Mitte des Kellers errichtet war, erschienen vier junge Leute und jazzten. Die schwarzen Knittertypen tanzten flotten Dixie und traurigen Blues. Ich war mitgerissen, den Blues kannte ich, eine ferne wundervolle Erinnerung. Wie die anderen schüttelte ich Arme und Beine im Rhythmus. Langsam erwachte ich. Hallo! rief jemand, und ich sagte Hallo! Tanzte, sprang, *Ice-cream! Icecream! Everbody like icecream!* Wooling. Jetzt die Sängerin. Groß, Haare wie Klatschmohn rot.

– Frau Popiol! rief ich, drängte mich durch die Massen des immer voller werdenden Kellers. Frau Popiol! Der Blues kam als eine Macht über mich. Der Keller sang ihn. Man faßte sich an den Händen, Spot auf das rote Haar, das ist deine letzte Chance, Gabriela. Ich heiß' Binka. Blues. Mitfallen. Wohin. Wohin du willst. Der Blues endete, Frau Popiol verschwand. Die Begrüßung der Gäste erfolgte durch Samuel, den Schauspieler. Er sprang auf die Bühne, breitete die Arme aus, um Beifall zu fassen.

– Samuel!

Die Menge schluckte mich. Applaudierte. Man erwartete das Große. Samuel sang zur Gitarre. Der Keller hielt den Atem an. *Das* waren Lieder! Aufrüt-

teln, fremd und vertraut, mit heißer Stimme gesungen, was sollte ich damit. Ich sollte doch etwas! Hilfesuchend schaute ich mich um. Rauchschwaden von Karo-Zigaretten, gespannte Gesichter, ab und an reckte sich ein Kopf nach oben. Applaus. Er galt Samuel. Ich mußte ihn sprechen. Kämpfte mich durch die Menge.
– Kennst du mich noch?
– Gabriela. – Samuel hatte es eilig.
– Wo ist Mutter?
– Du weißt es nicht?
– Sag es mir.
Die Menge saugte den Schauspieler auf, zog ihn in den Strudel, *Ice-cream, ice-cream!* sang die Jazzband.
– Und jetzt die »Skunks«!, Betriebskabarett des Leibnitzer Industriewerkes!
Die »Skunks« spielten Sketche, man setzte sich auf den Boden vor Vergnügen, man war erkannt, erkannte, wohin es ging. Irgendwo schlugen Türen. Mir lief der Schweiß. Gleich bist du dran. Nach der nächsten *ice-cream* hören sie auf *dich!* Mein Mund war trocken vor Aufregung, und die Augen brannten vom Karo-Rauch. Was hatte Queck gesagt? Ich bin krank, dachte ich einen Moment lang: Mein Gehirn brachte nichts zusammen, von dem, was geschehen war, was ich schrieb und jetzt tat. Und da ich vergessen hatte, vollständig, worauf es hier ankam. Ich hörte den Namen Gabriela von Haßlau.
– Mach schon, Mädchen. – Es war Frau Popiol, die mich auf die Bühne schob. Der Keller wurde still. Mir schlugen die Zähne aufeinander, ich griff nach

dem grauen dünnen Papier in der Hosentasche. Das Scheinwerferlicht knallte in die Augen. Staub, Rauch tanzte, wirbelndes strudelndes Glück. Ich las, was ich geschrieben hatte. Erst leise wie durch Watte gesprochen, dann füllte die Stimme tönend herausfordernd den Raum. Am Ende wurde geklatscht. Ich stieg in den dunklen Abgrund des Publikums. Wooling. *Ice-cream.* Ein paar Leute scharten sich um mich: Woher ich *die* Ideen hätte, toll, *ich* würde mir was trauen! – Heißes schamhaftes Glück. Hatte *das* Queck gewollt? Hatte er mir verschwiegen, daß er wußte: Ich war krank? Was wußte er noch? Ich jazzte mich durch mein Glück. Kaum erkannte ich im dunklen Keller, mit wem ich tanzte, es war alles egal, neu und groß. Vergebens hoffte ich, Frau Popiol zu begegnen, und einmal hörte ich tief aus dem Nebel den Satz gesprochen: Kurt ist tot.

Ich jazzte mich in mein neues Leben hinein und versprach, weiter *die* Ideen zu haben und mir *das* zu trauen. Ich wußte nicht, worin mein Mut lag. *Can't buy me love!* sang die Band. *Karo* beherrschte die KABINETTMÜHLE, noch eine Wodkacola, um das Leben zu kennen. Tanzen. Es ist gleichgültig, woher das Glück kommt, es muß einem in die Arme fallen und muß vergessen machen. Ich atmete in fremdes Haar. Eng umschlungen, *can't buy me love,* die Hände streiften über einen Körper, einen kräftigen Rücken, herab an einem schwarzen Knitterstoffkleid.

– Du hast gut gelesen, sagte die Tänzerin.

– Ach, sagte ich.

Die Musik setzte aus. Ich sah Katka ins Gesicht.

Wie war sie hübsch geworden! Nicht gerade schlank, aber ein Wunder an Fröhlichkeit. Wir lagen einander im Arm und küßten uns. Sie hob mich in die Höhe – Kraft hatte sie wie ein Baukran –, wirbelte mich herum. Plötzlich sagte sie:

– Laß uns gehen.

– Wohin.

– Wohin du willst.

Hand in Hand liefen wir durch die Stadt. Hatten Jahre zu erzählen.

– Ich bin gleich nach der Schule von Zuhause ausgezogen, rühmte sich Katka, und: Kunstmalerin sei sie geworden. Ob ich nicht ihre Bilder in der KABINETTMÜHLE gesehen habe? – Hatte ich nicht. Ich schämte mich, nichts außer mir selbst wahrgenommen, nur meinen eigenen seligen Zustand genossen zu haben.

– Daß aus dir mal 'ne Dichterin wird, spottete Katka.

Ich erschrak und freute mich: Jetzt *war* ich es! Dichterin. Jetzt wußte ich, wohin ich gehörte.

– Stell dir vor, da habe ich Eisenplatten entgratet! und gebohrt!

– Was hast du?

Wir kicherten durch die Stadt, zählten unsere Schandtaten auf, jedes kleine Erleben. Frei waren wir und voller Beifall.

– Aber wovon lebst du, Ehlchen?

Wir tanzten am Kanal. Nachts ließ die Brauerei ihren Saft hinein, Hopfen und Malz und Schaumflocken drehten sich, und wir wurden besoffen. Irgendwo, war es bei mir oder bei ihr oder ganz woanders, fielen wir todmüde in Schlaf.

Ich erwachte am hellen Mittag, nackt, auf fremder Matratze.

– Katka! – Außer mir war niemand in der Wohnung. Katka verschwunden. Hab' ich geträumt, dachte ich, sah an mir herunter: blaue Flecke an Brust und Beinen, die Schmerzen fast wohltuend. Ich war soweit. Was aber hatte ich getan. Und wo. Ich taumelte durch das Chaos von Bettzeug und Wäsche, Gardinen lagen geknüllt, Teppiche verschoben, hunderterlei Kleidungsstücke von mir oder von wem? Ich stieß gegen Kaffeetassen, alter Satz tröpfelte auf den Boden, Gläser rollten klirrend von mir weg. Ich war zu Hause. Bei mir. Auch Katka war dagewesen. Ich sah die Wohnungstür offenstehen, aufgebrochen. Stürzte über meinen Müll, schlug mir die Knie auf. Hinter mir standen sie.

– Zieh dir was an, sagte Queck.

Manfred, sein Fahrer, blickte grinsend zur Seite. Ich tat, was mir geheißen wurde. Nur nicht erwachen, flehte ich, versuchte, Ordnung zu schaffen.

– Laß das! kläffte Queck.

Ich ließ alles fallen und fragte, wo meine Freundin Katka sei. Manfred schloß hinter uns die Tür. Als ich im schwarzen Wolga saß, wurde mir schlecht. Ich riß die Wagentür auf, stieg aus, kotzte vor die Kühlerhaube einen sauren Rest Wodkacola. Queck ließ mich, an seinen Pittibauch gelehnt, schlafen. Der Wagen fuhr los.

Atze und Noppe stürmen die Seifenkammer.

– Die is nüsch koscher! Adelsfotze! Aufschneiderin!

Sie waren durchs Fenster gekommen, prügeln mich aus dem Schlaf.

– Macht sich 'ne warme Koje hier, un Paule is schon varreckt, und mir tun auch bald varrecken.

– Noppe sticht ein Messer in den Spülmittelkanister. Der seifige Strahl trifft mich ins Gesicht.

– Verschwindet, verdammt noch mal!

Atze schlitzt die Scheuersandkiste auf, streut das scharfe Mehl breit, Fischerkurt und Hühner-Beppo steigen zum Fenster ein, krach! Besen- und Schrubberstiele brechen, ha! Ich beziehe Kloppe, Seife, Staub, irres Husten. Die Halunken bahnen sich den Weg in die Gaststube.

– Schön warm hier!

Es kommen immer mehr von ihnen. Ha! Und alles gratis! Der Bierhahn faucht. Sie hängen ihre Mäuler darunter, wilde stinkende Tiere, und lassen sich volllaufen, einer entplompt den Feuerlöscher und schäumt die Seifenkammer ein, der Essigreiniger explodiert, Polizei! Polizei! Die Drei Rosen stopfen mir das Maul, der Tresen geht zu Bruch, hier geht's gemütlich zu, Jungs! Und es erscheinen noch mehr, alle Schlafgäste der Grünen Brücke und der Sonntagsbrücke kommen aus dem Jahrhundertwinter und kehren ein bei mir, einer ruft:

– Die is 'ne Binka!

Da haben sie mich, reißen mir das Haar aus.

– Die is nüsch dicht! Die hat 'ne Villa, die horcht uns nur aus!

Mein Eigentum unter dem Arm krieche ich aus dem Pulk der randalierenden Penner hervor ins Freie. Der Winter hat Leibnitz eisglatt gewienert. Fliehend rutsche ich voran, zuschel über die frühmorgendlichen Straßen. Polizei! Sie schlagen die Drei Rosen kaputt!

Hauptkommissar Paffrath leitet den Einsatz. Drei grüne Gitterwagen. Atze, Noppe und wie sie alle heißen, steigen ein ohne Widerstand.

Es waren einmal drei Rosen. Paffrath nimmt auch mich mit auf die Wache.

– Warum begeben Sie sich in dieses Milieu, Fräulein von Haßlau?

– Nicht meine Schuld.

– Sie haben recherchiert?

– Was hab ich?

Paffrath glaubt mir nicht. Zwei Finger seiner Hand heben die Plastiktüte, die Caritasdecken, mein Eigentum, werfen es in die Ecke.

– Sie sind doch Künstlerin.

– Ich bin krank, Hauptkommissar.

– Mensch, Sie machen mir 'ne Nacht.

Jetzt besitze ich nichts mehr, außer Paffraths Begleitung. 6.00 Uhr Dienstschluß. In seinem Wagen fragt er:

– Wohin soll ich Sie nun wirklich bringen?

Ich weiß es nicht. Bin so müde, daß mir nicht mal eine Ausrede einfällt. Er nimmt mich mit zu sich. Achtes Stockwerk eines Neubauhauses. Schon im Fahrstuhl zittern mir die Knie. Bulle! denke ich. Das Haus riecht nach Zigarre und Müllschlucker. Wir laufen einen Flur entlang, der mindestens 100 Meter Länge mißt.

– Mach ich früh immer'n Spurt, scherzt Paffrath.

Er führt mich in seine Wohnung. Wuchtige braune Polstermöbel füllen ordentlich das einzige Zimmer. Ich bin zum Umfallen müde.

– Ich mach Ihnen ein Bad, dann schlafen, morgen sehen wir weiter.

Schlafen im Koniferenschaum, tief in Träume gleitend. Paffrath weckt mich mit kalter Dusche.

– Man kann ertrinken und merkt's nicht.

Er gibt mir ein Handtuch, sein Blick spricht Zurückhaltung. Ins Handtuch gewickelt überlege ich, was ich mit dem Haufen Dreckwäsche, den ich die letzten Monate, ohne zu wechseln, am Leib getragen habe, der nun erbärmlich in der Badezimmerecke liegt, tun soll. Mir ist es peinlich, aber Paffrath sagt forsch.

– Weg damit!

Tapfer Ekel verkneifend, packt er diesen Rest von mir, transportiert ihn 100 Meter den Hausflur entlang und wirft ihn in den Müllschacht. Kommt zurück, zeigt mir ein Lager auf dem Sofa, bettet sich selbst auf lose Matratzen auf den Teppich. Die erste Nacht ohne Kälte und Seifengeruch. Nur im entzündeten Fingernagel wummert Schmerz. Der Hauptkommissar schnarcht im Traum, lauter kleine Pufflaute entfahren seinem Mund, grunzend dreht er sich zur Seite. Ich sehe sein Babyhaar, dünn und fein klebt es am Kopf, ich falle in Schlaf.

Betrunken vom Schlaf, entsteige ich dem schwarzen Wolga.

– Jetzt erholen wir uns erst einmal.

Queck deutet Kniebeugen an, Manfred drückt stöhnend das Kreuz durch. Wir waren in der Natur, Wald und See. Der Tag klar und verführerisch.

– Durchatmen, Gabriela!

– Wermsdorf, schwärmte Queck, VEB Binnenfischerei! Die haben immer was übrig für uns. Seh'n wir mal nach.

Wir umrundeten den kleinen grauen See und traten in eine Baracke.

– Unsere Fischer! stellte Queck eine Gruppe Männer vor, die gerade beim Frühstück saßen. Die Männer, unser Eintreten kritisch verfolgend, machten fischkalte Mienen.

– Frühstück! forderte Queck und rieb sich in genußvoller Vorfreude die Schenkel. Wortlos richtete die Brigade einen Tisch für die Gäste, holte Platten mit Räucherfisch, Aal und Karpfen. Queck fragte nach Schillerlocken – Schiller, haha, seine Locken, haha, aber das ist Haifisch, und der Haifisch der hat Zähne und den gibt es auch im Wermsdorfer See.

Eisgrau blieben die Fischergesichter, als müßten sie täglich die blöden Witze hören.

– An die Arbeit, sagte einer. Man folgte ihm nach draußen, während Queck und sein Fahrer Manfred nach den Schillerlocken fassen – zwei Finger heben die goldenen Röllchen vom Teller, der Nacken beugt sich nach hinten, die Locken hängen über dem aufgesperrten Mund, pendeln leicht, Tropfen Öl erreichen die Zunge, dann schnappen die Lippen zu, aus. Tapfer trank ich Kaffee. Räucherfisch würde mein Inneres erneut ausheben, überhaupt: Was soll ich hier. Queck wischte das Fett vom Mund, stupste Manfred augenzwinkernd an.

– Wir machen es, okay?

Manfred grinste, lehnte sich im Stuhl zurück. Queck lud mich zur Bootsfahrt ein. An der frischen Luft wurde mir wohler. Ich folgte dem Koboldbäuchigen. Mußte ihm folgen, denn wer sonst wußte, was los war mit mir. Manfred stieg zuerst in das Boot, tarierte es aus. Als Queck auf Deck plumpste, wankte es beträchtlich. Mich nahm man in die Mitte, Queck gegenüber auf der Holzbank sitzend. Manfred ergriff die Ruder. Wir legten ab. Nach den ersten Ruderschlägen erwachte ich. Sah plötzlich, mit wem ich im Kahn saß, wußte, was in der Nacht zuvor geschehen war, wo ich gewesen bin, wen ich gesehen hatte. Es war ein beschlossenes Spiel. Manfred führte den Kahn gleichmäßig. Queck blinzelte gegen die Morgensonne. Ich drückte die Hände zwischen die Knie. Das Erwachen war grausam – diese Klarheit bereitete Kopfschmerz, und jede Sekunde Schmerz brachte mich der Erkenntnis näher: *Das nicht.* Nun zu dir. Gabriela. – Queck pulte einen Rest Fisch aus den Zähnen hervor. Ich saß starr.

– Wir erwarten deinen Hausaufsatz.

– Wozu.

– Wir waren uns klar darüber.

– Worüber.

– Hör mal, wir sind hier nicht, um Witze zu machen.

– Bringen Sie mich bitte nach Hause.

– Wie sollen wir das verstehen?

– Ich kann's nicht mehr.

– Sie kann's nicht mehr. Haben wir uns geirrt, was?

Quecks Pittibauch sank zwischen die gespreizten Beine. So genau sah ich die Fasern der grauen Malimohose, so genau diesen Mann in aller Nacktheit, daß mir grauste. Schon vergaß ich, was er sagte. Nur Manfreds Ruderschläge ließen mich wissen: Wir schaffen dich weg, wie Mutter, wie Vater, wie Frau Popiol, wie Katka, wie ...

– Wo ist meine Freundin Katka?

Die Frage schlug in Quecks Satz hinein. Queck verlor alle Freundlichkeit.

– Du hast uns enttäuscht, Gabriela.

Auf der Mitte des Sees ließ Manfred die Ruder ruhen. Das Boot kreiselte. Mittagssonne. Quecks Glatze glänzte wie die Haut von Räucherfisch. Ich stellte mir Schillerlocken aus Quecks Schädel herauswachsend vor.

– Du weißt, was passiert, wenn man unser Vertrauen mißbraucht.

– Es gibt noch eine Chance.

– Mach's kurz! Manfreds Milchgesicht verzog sich ungeduldig. Weit und breit kein Mensch zu sehen.

Die Wermsdorfer Fischer suchte ich vergebens. Ich war allein mit Queck und dessen Fahrer.

– *Eine* Chance, wiederholte Queck.

Wach war ich wie noch nie. Das Boot schwankte.

– Was tust du!

Der Dicke erblaßte. Dem Fahrer rutschten die Ruder aus der Hand.

– Verdammt, paß auf!

Quecks Finger griffen hilfesuchend nach meinen Knien. Ruckartig stand ich auf, hielt mich in der Waage. Das Ruder in meinen Händen hob sich leicht – die Längsseite traf Manfreds Kopf, der Fahrer kippte vornüber aus dem Boot. Queck girrte um Hilfe. Ich sprang nach Backbord. Der Kobold stürzte, die Beine zwischen dem Mittelsitz verkeilt. Am Hemdkragen zerrte ich ihn heraus, das Ruder kreiste vor Quecks Augen, entfiel meinen Händen, platschte in den See, worin Manfred regungslos zwischen Zuchtfischen trieb. Queck war schwer wie ein Zentnersack Kartoffeln. Seine grellen Hilfeschreie nervten mich. Ich sprang ins Wasser, hängte mich an den Bootsrand, der Dicke kollerte Steuerbord, Schlagseite, das Boot kippte mitsamt Queck. Ich schwamm, während der Pittibauch gurgelnd im See zappelte, schwamm in großen ruhigen Zügen ans Ufer. Kein Mensch weit und breit. Ich entstieg dem Wasser, ging davon, ohne einen Blick zurückzuwerfen.

Erwachen in einem fremden Zimmer. Auf einem Sofa, in sauberen molligen Decken. Wo bin ich? Und wer? Dichterin, obdachlos, arbeitslos. Die Uhr zeigt zehn Minuten nach achtzehn Uhr. Ich bin allein. Auf dem Tisch ein Zettel von Paffrath: Warte auf mich. – In der Küche Wurst und Brot auf einem Teller bereitet. Über der Sessellehne Männersachen. Die soll ich

112

anziehen, einstweilen. Aber ich werde Paffrath ohne alles empfangen. Der in seiner Uniform! Nackte empfängt Polizisten. Schlagzeile in der MAMMILIA. *Das* wäre es! *Die* Nummer! Ich muß meine Geschichte zu Ende bringen, einen großen Knall erfinden, damit ich 'rauskomme aus dem letzten Loch. Heute wird Semmelweis-Märrie allein die Gläser spülen müssen. Oder gar nicht. Weil keiner kommt. Pennerrazzia unter meiner Führung. Sie werden alle einsitzen, schön warm. Oder sofort wieder in die Freiheit entlassen, den Winter. Paffraths Wohnung durchstöbern: Männersocken, Zigaretten, alte Zeitungen. Auch ein Block feines weißes Papier. Diesen vor mir, setze ich mich an den Tisch. Anhaltinischer Adel. Ffon Haßlau. Dichterin. Nackt vor einem Bullen. Wer soll das glauben. Die Leserinnen der MAMMILIA warten auf die Fortsetzung der Story. Das mit dem Adel ist gut. Mein Vater war ein bedeutender Arzt. Das hatten wir schon. Es muß anders enden, völlig unerwartet.

Als ich von der Kahnpartie nach Hause kam, war die Wohnung versiegelt. Ich trampte nach Mecklenburg. Eine verlassene Scheune, bemoost bis zum Giebeldach, bot mir Unterkunft. Ich fand Arbeit im Rinderstall einer kleinen LPG in der Nähe von Crivitz. Meine Aufgabe war: Dung karren, Dung von den Eutern kratzen, Dung vom Futter trennen. Täglich vier Uhr morgens aufstehen, schlaftaumelnd in den Stall. Die Viecher brüllten. Die prallen Euter waren entzündet und gegen Medikamente resistent. Zwei Melker der LPG molken die zwanzig Kühe mit der Hand an, bevor sie die Zitzen mit den Bechern der Melkmaschine verstöpselten. Halbschlafend hockten die Melker auf den Schemeln, hatten kein Alter, kein Aussehen. Brüllten in meine Richtung.

– De Zitzen möten sauber sien!

Ich wusch die Euter mit Fitwasser, schnitt verklebte Bauchzotteln ab, säuberte die Rotznasen der Kühe mit Mull. Das Vieh protestierte, Schwänze schlugen mir um die Ohren. Stroh war knapp und wurde nur zweimal im Jahr, bevor die staatliche Inspektion kam, über die Fäkalienkrusten gestreut. Verfüttert wurden nach Fisch stinkende Pellets und ein Gehäcksel aus Kraut und Rüben. Die Tiere käuten es für Milch und Fleisch, für die Melker vom Dienst, für die LPG. Dünn und wässrig schoß Milch in die Schläuche der Melkmaschinen. Fladen klatschten auf den Lattenrost. Ich schwang die fünfzackige Gabel, stieß sie in den Schlamm, hob das dampfende Exkrement, lud es in die Karre. Ein dritter Mann kam, streute Pellets in die Futterrinnen, goß Wasser dazu, weckte die Melker auf. Bis zu den Knien stand ich in Gülle, Maria und Agathe schnaubten mir ins Genick, Suse trat nach meinen Stallstiefeln, Anna ließ einen Strahl abgehen, der von oben in den Schaft traf. Ich karrte den Mist nach draußen, wo er, mit Wasser verdünnt, auf den Wiesen verkippt wurde. So ging es Tag um Tag. Hatte ich nach vier Wochen Knochenarbeit drei Tage frei, verschlief ich diese in tiefer Bewußtlosigkeit. In der Dorfkneipe herrschte das Platt der Rinderbauern. Sie ließen mich nicht bei sich sitzen. Ich trollte mich in den Schlaf. Eines Tages waren alle zwanzig Rinder im Stall krepiert. Wie in Narkose lagen die Kadaver in der Jauche. *Schit!* sagten die Bauern. Über Nacht verließ ich den Ort Crivitz, floh über die Koppeln Richtung Teterow. Hatte genug von der Stallarbeit. Von Klau und Hilfsarbeiten lebend, schlug ich mich durch. Katkas Schule machte sich bemerkbar. Wenn sie mich finden würden, wußte ich: Es ist aus. Es gibt keine letzte Chance mehr. Ich fand Arbeit bei einem Bauern namens Rieck. Meine Aufgabe war Kartoffelschälen und Karottenputzen, der Bäuerin zur Hand zu gehen. Bauer Wilken, der Nachbar, trat eines Abends in schweren Stallstiefeln in die Riecksche Küche.

– In Teterow sünd de Straten vull mit Lüd; de trekken dörch de Stadt, dat geiht los!

– Wat geiht los?

– Wat weet ik, öwer wi möten dorbi sien!

Der Bauer Rieck sagte:

– Wat geiht mich dat an.

Die Bäuerin: Horst, dat muß!

Wilken hinterließ eine Dreckspur in der Küche, zog grummelnd ab. Ich schrubbte die Kacheln, die Kartoffeln, rieb Möhren und Äpfel mit der Reibe, bis die Finger bluteten.

– Hest du wat secht? – Bäuerin Rieck, ein blaues Küchenhandtuch um die ausladenden Hüften, beäugte mich mißtrauisch. Ich wollte fragen, was los sei, was stattfinde in Teterow oder anderswo, aber die Frage blieb im Hals stecken. Ich hatte mir angewöhnt, nirgendwo und niemandem etwas zu sagen, nicht einmal meinen Namen, und wenn ich mich vorstellte, nannte ich mich Binka oder Katka oder Maria Elke Popiol.

– Pißpott! – Die Bäuerin stieß den Bauern an.

– Wat der Wilke secht, ist die Wahrheit.

In der Nacht verschwand ich aus dem Rieckschen Hof, schlug mich durch nach Teterow. Ganz am Rande stehend, sah ich Tausende Leute durch die Straßen der Kleinstadt ziehen. Das Bild verschwamm mir vor den Augen. Jetzt suchen sie dich nicht mehr, dachte ich. Jetzt ist deine Zeit gekommen.

Ich trampte zurück nach Leibnitz. Nannte jedem Fahrer meinen Namen: Gabriela von Haßlau.

– Aus'm Westen?

– Nein.

– Und wo kommste her?

– Anhaltinischer Adel.

– Entweder stimmt's, oder ich fahr dich gleich inne Klapper.

Keiner glaubte mir. In Leibnitz suchte ich, wen ich noch in dieser Stadt erhoffte: Katka, Samuel oder Frau Popiol. Ich fand niemanden. Keinen, der mich kannte. Dabei war nach mir gefahndet worden. Die ganze Stadt kannte meinen Namen. Nach einigen Tagen rastlosen Suchens (ich schlief im Christlichen Hospiz), meldete ich mich bei der Polizei.

– Gabriela von Haßlau.

– Ausweis?

– Ohne.

– Momentan haben wir andere Probleme. Gabriela von Haßlau – da kann ja jeder kommen.

Sie behielten mich eine Nacht auf der Wache, meldeten mich dem Sozialamt, hielten sich die Nasen zu, wenn sie in meine Nähe kamen.

– Jetzt geht *das* hier los! beschwerte sich eine der Uniformen, jetzt haben wir die ersten Penner am Hals.

Sie fuhren mich in die Psychiatrie.

– Schizo, erklärte der Fahrer und lieferte mich ab wie eine überfällige Bestellung.

– Ich bin die Tochter von Obermedizinalrat Ernst von Haßlau.

– Jetzt legen wir uns ersteinmal ganz ruhig hin.

– Ich bin die Tochter von Obermedizinalrat Ernst von Haßlau.

– Wir kennen keinen Obermedizinalrat von Haßlau. Und jetzt sagen wir uns mal Ihren richtigen Namen.

– Gabriela von Haßlau.

– Wissen wir unser Geburtsjahr?

– Ich schon.

– Können wir sagen, ob dieser Bleistift gelb oder rot ist?

– *Ich* bin nicht verrückt.

– Wir bleiben alle alle ganz ruhig. Was haben wir zuletzt getan?

– Ich bin getrampt, und Sie?

Nach drei Stunden Anamnese beschloß der Psychiater meine Entlassung. Ich stand auf der Straße. Hinter mir, in der Anstalt, trommelte es an den Fenstern. Kurt hat's gut, dachte ich, der hat die Revolution nicht erlebt. Nun mußte ich mir einen Platz zum Schlafen suchen, mich beim Sozialamt und der Caritas melden. Der Sommer war heiß und trocken, ein Jahrhundertsommer.

Level 1 or 2 ??

Paffrath schließt die Wohnungstür auf.
– Ich hab Kleider für dich gekauft, sagt er. Legt die Uniform ab, zieht Schuhe aus, bewegt die steif gewordenen Zehen. Er reicht mir zwei Plastiktüten aus dem Bekleidungshaus »Henry & Moritz«.
– Zieh das an.
Die Tüten bleiben liegen, ich trete dicht an den Hauptkommissar heran, meine Hände schieben sich unter das olivgelbe Polizistenhemd, dort ist es warm, ein puckernder Ton wie von einer verschluckten Uhr zeigt Leben an.
– Gefallen sie dir nicht? – Paffrath deutet auf die Kleidertüten.
– Mir gefällt alles, was du tust.
Paffraths Hand fährt nervös an die Nase. Sie juckt. Das Hemd rutscht aus der Hose, ich raffe es zur Brust. Der Bauch weiß, auf Brust und Rücken ist Paffrath behaart, meine Hände entdecken das Areal.
– Ach, sagt Paffrath.
Er trägt mich zum Sofa. Ich liege auf dem Bauch. Er kniet sich vor mein Gesicht. *Nein!* will ich rufen. Paffraths weiche Hand faßt mir unters Haar, hebt den Kopf. Weiß Beine Bauch Brust, weiß, alles weiß. Jedes Härchen erkenne ich auf seiner Haut.
– MeineGutemeineLiebemeineSchöne.
Nein! Paffrath legt meinen Kopf zurück aufs Kissen. Ich drehe mich, ziehe die Knie zur Brust, die Arme

118

umschlingen Schenkel und Waden. Ich mache mich klein, unsichtbar. Paffrath hilft nach, drückt meinen Hintern nach oben und zeigt mir in der Tiefe, was er will. Ich rolle auf die Seite, bleibe liegen. Reglos.
– Es ist das erste Mal?
Paffrath steigt verwundert vom Sofa, lächelt, geht in den Flur, bringt die Tüten herein.
– Hosen oder Rock?
Irgend etwas muß geschehen sein. Die Story bricht ab. Schlimm war es nicht. Schön auch nicht. Paffrath legt einen hellen, zartgeblümten Rock auf meinen nackten Bauch. Dann holt er sich Abendbrot aus der Küche. Wein zur Feier des Tages. Ein dunkler, tief-verschneiter Mittag. Paffrath sitzt, den Bademantel übergelegt, im Sessel. Beide Füße legt er auf die So-fakante. Seine Augen funkeln wie die eines Katers. Ich liege und schweige. Wie warm es ist. Paffrath ißt ein Wurstbrot, hebt das Weinglas, zündet eine Ziga-rette an.
Ich werfe den Rock auf den Teppich, entrolle mich, schaue Paffrath ins Gesicht. Grün und heiß flammt das Funkeln auf, dann schließt Paffrath die Augen, dann erlischt es.

1993

Editorial error?
Adds to general confusion

suhrkamp taschenbücher
Eine Auswahl

suhrkamp taschenbücher
Eine Auswahl

suhrkamp taschenbücher
Eine Auswahl

suhrkamp taschenbücher
Eine Auswahl

265/4/11.93

suhrkamp taschenbücher
Eine Auswahl

suhrkamp taschenbücher
Eine Auswahl